L'ALBUM

DU MUSÉE DE LA MODE & DU TEXTILE

Nous exprimons ici notre reconnaissance à tous les donateurs
grâce à qui les collections de mode et de textiles
de l'Union centrale des arts décoratifs et de l'Union française des arts du costume
se sont, au cours des années, constituées.

Que toutes les personnes qui ont contribué à la réalisation
de cet album soient remerciées et tout particulièrement :
*Véronique Belloir, Martine Jouhair, Emmanuelle Montet, Chantal Paludetto,
Joséphine Pellas, Marie-Hélène Poix, Jérôme Recours,
Sylvie Richoux, Myriam Teissier, Fabienne Vandenbrouck,*

ainsi que la *SOCIÉTÉ MARIN* et *LE STUDIO BASTILLE*
qui nous ont aidé pour la réalisation de la campagne photographique de cet album.

AVERTISSEMENT :
Les photographies représentant plusieurs vêtements sont décrites de gauche à droite.

Les abréviations utilisées dans l'ouvrage sont :
UCAD, *Union centrale des arts décoratifs*
UFAC, *Union française des arts du costume*

Les citations exactes des mentions figurant sur les griffes apposées sur les vêtements sont entre guillemets.
La mention de l'auteur sans guillemets indique que le vêtement est dépourvu de griffe.

L'ALBUM

DU MUSÉE DE LA MODE & DU TEXTILE

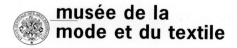

musée de la
mode et du textile

Réunion
des Musées
Nationaux

Notre gratitude s'adresse aux partenaires
qui par leur généreuse contribution
ont aidé à la création
du Musée de la Mode et du Textile :

BALMAIN

DEFI, Comité de développement
et de promotion du textile
et de l'habillement

MAGAZINE ELLE

GIANFRANCO FERRE

HERMÈS

LVMH
MOËT-HENNESSY. LOUIS VUITTON

LINDA WACHNER-WARNACO Inc.

UFAC, Union française
des arts du costume

SOMMAIRE

Mode : manière passagère d'agir, de vivre, de penser, liée à un milieu, à une époque déterminée. Manière particulière de s'habiller conformément au goût d'une certaine société : *la mode parisienne*.

En 1997, Paris, capitale de la création, des idées, du savoir-faire, du raffinement, confirme sa réputation en accueillant le musée de la Mode et du Textile, dans un site nouveau.

L'Union centrale des arts décoratifs, gardienne de connaissances, de traditions, de beauté, témoin de l'évolution de la pensée et de la vie à travers les dessins, les couleurs, les matières, est ce lieu privilégié. Grâce à l'étendue et à la richesse de ses collections, elle permet aujourd'hui d'arrêter le temps, de le poursuivre, de rendre réelle une certaine manière de vivre à une époque donnée, à la guise du visiteur.

Cette collection unique de costumes, de textiles, d'accessoires du XVIIe siècle à nos jours s'intègre, dans une logique parfaite, aux meubles, aux objets, aux porcelaines, aux papiers peints, en un mot à tout ce que l'on appelle les arts décoratifs.

Bien que passagère, la mode est indispensable à la compréhension de notre style de vie, de nos goûts, de notre créativité. Elle est le reflet de ce que nous sommes, de ce que nous pensons, de notre comportement, le miroir de la réalité de chaque instant et c'est cet instant que le musée se doit de préserver.

Hélène David-Weill

Président de l'Union centrale des arts décoratifs

Les très anciennes et très riches collections de textiles du musée des Arts décoratifs, présentes dès l'origine, ont été, au fil des années, agrandies et enrichies par d'importantes collections ayant trait au costume. L'ouverture des galeries permanentes du musée, dans une aile du palais du Louvre, l'aile de Rohan, complètement restructurée et équipée après la longue occupation de ces lieux par le ministère des Finances, marque l'une des dernières étapes de l'opération Grand Louvre et donne le coup d'envoi à une nouvelle aventure, celle de la mode.

Tout ce qui touche au costume et à l'habillement, qu'il soit usuel ou exceptionnel, est désormais inclus et développé dans nos collections patrimoniales, malgré les difficultés de conservation et de présentation. Il s'agit bien, pourtant, de montrer l'éphémère et l'engouement passager, le fugitif et le fragile, autant de phénomènes liés à la mode, difficiles à cerner dans le cadre d'un musée qui, plus qu'aucun autre, se devait d'avoir une place prestigieuse au cœur de Paris. La présence voisine du futur musée de la Publicité, dans cette même aile, sera un atout supplémentaire pour souligner l'instantané, à côté d'évocations plus « historiques ».

Le public va donc découvrir des galeries permanentes consacrées à des thématiques variées, à travers des approches multiples allant de la matière à la coupe, de la construction à la finition. Ainsi ces galeries, évitant le côté statique, appelleront le visiteur à une constante redécouverte, grâce à des collections soigneusement restaurées, présentées par roulement, dans des scénographies attrayantes et souvent renouvelées.

Installé dans un autre étage de l'aile de Rohan, le Centre de documentation de la Mode et du Textile, ouvert à un public spécialisé ou non, complète la présentation des collections par la richesse de son fonds qui rassemble un grand nombre d'œuvres graphiques originales des fonds de l'Union française des arts du costume et de l'Union centrale des arts décoratifs, une photothèque, une bibliothèque, des journaux, des revues...

Ainsi la mode s'intègre dans un des plus grands musées du monde : ancienne et nouvelle, aux facettes multiples, elle s'impose comme un patrimoine de premier plan pour mieux comprendre les différents reflets d'un art de vivre marqué de jalons uniques et exemplaires.

Pierre Arizzoli-Clémentel

Conservateur général chargé des musées
de l'Union centrale des arts décoratifs

1. Dans les coulisses du musée de la Mode et du Textile : les réserves de costumes.

LA MODE AU MUSÉE, PARADOXES ET RÉALITÉS

Lorsqu'en 1982 Jack Lang, alors ministre de la Culture, annonçait la création du musée des Arts de la mode, il affirmait par là la volonté de l'État de donner un statut patrimonial à une activité particulièrement représentative de l'art de vivre français, tant il est vrai que la mode vestimentaire s'est toujours entendue comme une spécialité parisienne.

Pour tardive qu'elle fût, cette reconnaissance ne s'accompagna pas moins d'une décision qui prit caractère de symbole : l'installation du musée dans les bâtiments du palais du Louvre.

Musée d'association, dont les collections sont nationales, l'institution qui fut inaugurée en 1986 dans le pavillon de Marsan est paradoxale à plus d'un titre. Du point de vue de son objet d'abord : la mode, par définition éphémère, s'accommode mal de la pérennité, caractéristique inhérente à l'institution que représente le musée. Plus encore, la mode en tant que phénomène, ne s'apprécie comme telle qu'à travers l'évaluation de données que ne livrent pas a priori les objets dont le musée a pour vocation la conservation… En effet, elle relève d'une analyse que révèlent tout à la fois la rupture introduite dans l'usage par l'apparition d'une nouveauté et l'engouement d'un groupe fluctuant de personnes pour une pratique vestimentaire de courte durée. Ainsi, l'histoire de la mode, dont le musée se fait implicitement témoin, malgré une erreur très répandue, n'est pas synonyme de l'histoire du costume. On notera pourtant que parmi la large palette de termes pouvant désigner le type d'objets

Lydia Kamitsis

dont le musée est dépositaire, celui de « mode » fut préféré à « habillement », « costume », « vêtement » ou « textile ». Loin d'être indifférent ce choix, en privilégiant de fait la notion de nouveauté, fixait à l'institution des objectifs particuliers. Le « musée des Arts de la mode » se donnait dès lors pour mission la mise en valeur de l'ensemble des innovations observables dans l'art de l'habillement, qu'elles soient techniques, esthétiques ou sociologiques.

En 1990, la transformation du nom en « musée de la Mode et du Textile » tendit à rétablir une injustice faite à un pan considérable de la collection du musée, le textile qui, dans l'euphorie de la découverte d'un nouveau patrimoine, fut occulté. Bien que les arts de la mode l'incluent implicitement – le textile étant une matière première entrant dans la composition du vêtement – dans l'esprit du public l'usage s'est établi de ne considérer sous le vocable « mode » que le produit fini qu'est le vêtement. Or, sur un plan strictement institutionnel, la particularité de ce musée réside dans la composition de ses collections, faites de vêtements mais aussi de textiles, de broderies, de passementeries ou de dentelles, dont l'étude scientifique et l'exploitation muséologique, ne se calquent pas toujours exactement sur les mêmes critères. En rebaptisant le musée de la sorte, il s'agissait d'expliciter cette présence et de signifier le double objet de nos recherches.

Musée de fondation relativement récente, il n'en demeure pas moins exemplaire par son histoire qui manifeste des préoccupations bien plus anciennes. Ses collections, provenant de deux institutions distinctes, constituées selon des modalités différentes, témoignent aujourd'hui du long chemin qu'il a fallu parcourir, avant que le paradoxe devienne évidence et que son objet en soit légitimé par une instance d'État.

LE MUSÉE DE LA MODE ET DU TEXTILE : GENÈSE ET HISTORIQUE DES COLLECTIONS

Placé sous l'autorité de l'Union centrale des arts décoratifs (UCAD), le musée de la Mode et du Textile n'en est pas une émanation directe, comme le sont, par exemple, le musée des Arts décoratifs ou le musée de la Publicité, tous

2. Une travée de mobilier compact sur rail : *caracos du XVIIIe siècle.*

deux sortis du même giron et dont les collections gérées par l'UCAD appartiennent de fait à l'État. Il est le fruit d'une association entre deux institutions privées, l'Union centrale des arts décoratifs (UCAD), d'une part et l'Union française des arts du costume (UFAC) d'autre part, et reflète à travers la diversité de ses collections des logiques de collecte particulières, tenant à des objectifs différents en apparence.

L'UCAD prend ses sources dans la fondation de l'Union centrale des beaux-arts appliqués à l'industrie qui, dès sa création en 1864, se donne pour but « d'entretenir en France la culture des arts qui poursuivent la réalisation du beau dans l'utile ».

Industriels, amateurs et artistes qui font leur cette profession de foi s'attacheront à constituer une collection d'objets « utilitaires » pris dans toutes les civilisations et à toutes les époques, dans le but d'éduquer le goût des professionnels et du grand public. Tapis, tapisseries, dentelles, broderies, échantillons de textiles seront dès lors des types d'objets « naturellement »

inclus dans cette collecte, alors que le vêtement ne sera pris en considération que dans ses aspects les plus idiomatiques. C'est ainsi que l'on y trouve des costumes étrangers, fréquemment rapportés de leurs voyages au cours du XIXe siècle par des collectionneurs curieux, des vêtements liturgiques, quelques rares pièces anciennes, tels des pourpoints, ou encore des reliques, comme les souliers de l'impératrice Joséphine et les bas portés par Napoléon Ier le jour de son sacre.

Œcuménique et éclectique, la collection de l'UCAD, jusqu'à la création du musée des Arts de la mode, ne semblait, comme bien d'autres institutions européennes issues des préoccupations du XIXe siècle, s'attacher au vêtement que dans la mesure où celui-ci présentait des caractéristiques intéressantes du point de vue textile.

À l'inverse, l'UFAC, créée en 1948, en se donnant comme mission la création d'un musée du costume français, concentrait ses efforts de collecte sur un champ plus restreint, celui du costume civil national.

Les objectifs des deux associations ne divergent qu'en apparence. Les deux projets, nés de l'initiative privée, fortement soutenus et portés par les milieux professionnels intéressés, visent en fait à affirmer la suprématie du goût français à des moments où la production nationale se voit concurrencée par des industries étrangères. À un siècle d'écart, les « ennemis », dont il faut contrecarrer l'attaque sur le plan industriel, n'ont pas même nom : à l'offensive contre l'Angleterre, concurrent direct au XIXe siècle, répond celle à l'égard des États-Unis qui, depuis la Seconde Guerre mondiale, déstabilisent l'hégémonie française dans le domaine de l'habillement.

« Paris n'a pas de musée du Costume en dépit de la suprématie mondiale que la France exerce traditionnellement en matière d'habillement et de mode, et bien que notre industrie du vêtement, animée et inspirée par le goût français, se place actuellement au second rang de nos grandes activités nationales. Cette suprématie française reste intacte, malgré les difficultés actuelles de notre économie et il est indispensable qu'elle s'affirme, montrant, par le tableau du passé, les persistances de la tradition de nos efforts créateurs... » Ce credo aux accents patriotiques est inscrit en préambule dans une plaquette de présentation de l'UFAC éditée en 1954.

3. Selon leur degré de fragilité, les vêtements peuvent être suspendus ou conservés à plat dans des tiroirs.

époque révolue où la distance accordait de la valeur aux objets, mais aussi et surtout les exemplaires de la production contemporaine, avec tout ce que cela pouvait impliquer à l'époque de « complaisance » à l'égard d'un commerce, aussi glorieux puisse-t-il être pour l'image de la France.

Et si dentelles et tapisseries pouvaient sans mal être admises au sein des collections d'un musée, en raison de leur haut prix et des performances techniques dont elles étaient le produit, il n'en allait pas de même du vêtement inscrit dans une logique de l'éphémère et de la consommation courante, ce qui le rendait d'emblée futile !

Dans ce contexte, on mesure mieux la prescience des principaux maîtres d'œuvre de cette aventure : François Boucher, fondateur de l'UFAC et conservateur honoraire du musée Carnavalet, et Yvonne Deslandres qui lui succéda en 1967, chartiste et transfuge du service culturel du musée du Louvre. D'une érudition incontestable, ces personnages hors norme vouèrent leur vie à la défense de cette cause, bousculant les idées reçues et rapprochant des milieux jusque-là étanches.

Il n'est pas simplement anecdotique de voir derrière l'établissement de ces deux projets culturels des outils de propagande. Il est fort probable que sans cette nécessité transmuée en foi, les multiples tracasseries financières et administratives auxquelles se sont heurtées, chacune de leur côté, les associations concernées, au cours de leur histoire, auraient eu raison de leur patience.

La formule associative, pour fragile qu'elle soit dans ce type d'entreprise, s'avéra ici particulièrement efficace. En effet, en ces temps héroïques, où seuls les chefs-d'œuvre reconnus par des générations successives d'historiens de l'art avaient droit de cité dans les cénacles des musées, il fallait non seulement de la foi, mais aussi quelque abnégation pour convaincre de la légitimité d'un tel projet : un musée du costume. Qui plus est, il entendait rassembler non seulement des œuvres du passé, témoignages touchants d'une

Leur intuition et leur acharnement nous valent aujourd'hui une des plus importantes collections au monde. Leur intelligence et la finesse de leur analyse, alliées à une solide érudition, contribuèrent largement à l'historiographie moderne à laquelle ils ont su donner une nouvelle impulsion. Enfin, leur générosité et leur attachement au bien public ont fait découvrir, par le biais des multiples expositions et conférences qu'ils initièrent à travers le monde, un patrimoine essentiel à notre devenir, jusque-là méprisé.

4. Albums de copyrights *de la maison Vionnet.*

SÉRIES ET ENSEMBLES :
DES ARCHIVES ET DES GARDE-ROBES

Riche de près de 60 000 costumes et accessoires, le fonds vestimentaire du musée, qui couvre une période allant principalement du XVIIᵉ siècle à nos jours, est à plus de 90 % tributaire des donations faites par des particuliers et des producteurs. Aussi y trouve-t-on des séries d'objets significatifs de la production des différents métiers liés à la mode et donnés directement par leurs créateurs, souvent accompagnés de diverses archives qui permettent de mieux appréhender le processus de leur création et celui de leur commercialisation.

La première donation de ce type qui fit école est due à Madeleine Vionnet : en effet, en 1952, l'UFAC eut le bonheur d'accueillir 122 robes, 727 toiles patrons, 75 albums de *copyrights* comportant les photographies de tous les modèles créés par elle de 1919 à 1939, plusieurs dessins originaux, papier à en-tête, livres de comptes et une grande partie de sa bibliothèque personnelle.

Cet ensemble, exceptionnel par sa qualité et sa cohérence, a valeur d'exemple à plusieurs titres. Tout d'abord par la démarche volontaire de la donatrice qui, après avoir consciencieusement conservé et annoté chacun de ses modèles, jugés par elle les plus significatifs de son travail entre 1912 et 1939 (date de la fermeture de sa maison), souhaita en faire don à une institution publique, afin que l'on puisse étudier ses techniques. Ironie du sort, hormis la balbutiante UFAC, personne n'en voulut à l'époque... Or, Madeleine Vionnet, généreuse donatrice, s'intéressa également de près au projet du futur musée, dispensant conseils et se faisant propagatrice de la bonne cause. Ainsi, grâce à elle, Main Bocher, couturier favori de la duchesse de Windsor, donna, en 1961, 33 modèles et 4 787 dessins originaux de son studio, datant des années 1930.

Elsa Schiaparelli, à son tour, enrichit la collection en 1973 de 88 modèles des années 1930, comprenant robes et accessoires, ainsi que de 5 800 dessins originaux de l'ensemble de ses collections.

On appréciera ici la grande nouveauté et l'originalité de la démarche développée par ces illustres prédécesseurs : non seulement la création contemporaine fut incluse dans leurs préoccupations mais aussi, et cela a été l'apport d'Yvonne Deslandres, nourrie des préceptes de Georges-Henri Rivière, le typique côtoya l'unique. Au fil des ans, se sont alors constitués des ensembles et des séries d'objets autour de ces deux axes représentatifs, d'une part, des goûts vestimentaires des Français et, d'autre part, des performances des différents métiers de l'habillement.

Cristobal Balenciaga, qui vouait une grande admiration à Madeleine Vionnet, donna successivement en 1964 puis à la fermeture de sa maison, en 1969, 74 pièces représentatives de son œuvre (robes mais aussi gants, chaussures et chapeaux).

Michèle Rosier, une des figures de proue de la première vague des stylistes, ayant décidé de changer d'activité en 1974, donnait cette même année plusieurs modèles caractéristiques de son travail pour différentes marques de prêt-à-porter, ainsi que l'ensemble de ses archives composées de dessins, photographies et articles de presse.

Denise Boulet-Poiret, épouse de Paul

5. *Dessins originaux, extraits du fonds Schiaparelli.* De gauche à droite et de haut en bas : *tenue de descente aux abris, printemps-été 1939 ; tailleur-pantalon à veste brodée, 1941 ; ensemble du soir à veste brodée ; série de chapeaux, été 1937.* Les deux vestes brodées sont conservées dans les collections du musée.

Poiret, fut l'autre bonne fée qui se pencha, dès 1956, sur les destinées de ce musée en préfiguration. Non seulement elle fit don de 32 modèles créés par le couturier (entre 1907 et 1924), qu'elle assortit de commentaires précieux, mais elle invita plusieurs anciennes clientes et collaborateurs de la maison (dont la modiste Madeleine Panizon) à faire de même. De 1956 à 1976, une correspondance régulière et soutenue avec François Boucher, puis avec Yvonne Deslandres, témoigne de cette attention.

À côté des couturiers, d'autres artisans de l'industrie de l'habillement choisirent, à la cessation de leur activité, de confier leurs archives à l'institution qui allait contribuer à pérenniser leur nom.

Lucienne Rabaté remit à l'UFAC en 1953 les archives de la modiste Caroline Reboux à laquelle elle succéda. Grâce à elle, 105 chapeaux fabriqués de 1860 à 1950, 30 écharpes datant des années 1930, des albums de presse, des gravures et des photographies retracent la carrière exceptionnelle de cette grande maison « lancée » par l'impératrice Eugénie et qui, durant un siècle, coiffa les têtes les plus élégantes du gotha international.

Le fonds de la maison Milon, bonneterie fondée en 1667, riche de 100 modèles de bas allant du XVIIIe siècle à 1900, ainsi que de plusieurs dessins, entra dans la collection en 1961, grâce à l'obligeance de monsieur Chamard, son dernier propriétaire.

Lucien Libron, fabricant de corsetterie, collectionneur et érudit à qui l'on doit une somme sur l'histoire du corset, fit don, à son tour, en 1970 de 44 pièces comprenant de rares corps du XVIIIe siècle, des corsets du XIXe et des gaines des années 1930 et 1950, de ses propres marques.

Parmi d'autres fonds importants de fabricants, celui de l'industriel Rodier mérite une mention particulière. Averti du changement de propriétaire, François Boucher s'inquiétant du sort réservé aux archives s'est vu offrir en 1962 quelques milliers d'échantillons de tissus de la maison fondée en 1853, alors qu'une autre partie de ces archives était confiée à l'UCAD. Aujourd'hui donc, grâce à la réunion de ces deux collections, le musée a la chance de posséder la totalité de ce fonds significatif de la production textile.

6. *Dessins originaux exécutés par Muguette Buhler pour Patou, Vionnet et Poiret au cours des années 1910, 1920 et 1930.*

Les archives du brodeur Bataille remises à l'UFAC la même année, composées d'albums d'échantillons entre 1948 et 1951, ou celles de Rébé remises à l'UCAD en 1974 et riches de plus de 2 000 échantillons, documentent avec précision l'apport des brodeurs à l'élaboration des modèles de la haute couture.

D'autres séries d'objets qui relèvent de l'archive sont constituées par les dessins originaux et les photographies qui retracent l'activité d'une maison. Dans cette catégorie, nous pouvons mentionner le fonds composé de 122 albums, comportant 9 600 dessins répartis de 1905 à 1945, de la maison de couture Martial & Armand, dont peu de vêtements ont été conservés. Mais aussi une partie des archives photographiques de la maison Jacques Heim, complémentaires de celles conservées par le musée de la Mode et du Costume, palais Galliéra. À ces fonds, présentés sous forme d'albums, il convient d'ajouter les quelque 86 000 dessins et photographies de dépôt de modèles de différents couturiers des années 1920 et 1930

dans les collections de l'UCAD. Un fonds d'une extraordinaire valeur documentaire, celui donné par madame Rosine Buhler en 1994, permet de cerner une activité méconnue du grand public et d'une grande importance dans le fonctionnement des maisons de couture, celle de dessinateur. Plus de 15 000 dessins originaux dus à Muguette, mère de la donatrice, faits pour Paul Poiret, Augustabernard, Vionnet, Patou, entre les années 1910 et 1930, dans des techniques diverses (croquis à la mine de plomb, sanguines, gouaches…), complètent la connaissance que nous pouvons avoir du processus de production de la mode. À ce même fonds appartiennent également les archives composées d'albums de fabrication, de dessins annotés et comportant chacun un échantillon de tissu, de la maison Mad Carpentier, fondée en 1940 et dirigée jusqu'en 1957 par deux anciennes collaboratrices de Madeleine Vionnet, très proches de Muguette Buhler.

Sauvés de la mise au rebut ou de la dispersion, qu'un arrêt de l'activité ou la fermeture d'une entreprise rendent souvent inéluctables, ces fonds doublement préservés, une première fois grâce à l'esprit conservateur de leur propriétaire, puis une seconde fois par leur entrée dans les collections du musée, ont la particularité d'avoir été, plus ou moins consciemment, pré-constitués par leur producteur.

Le rôle que joua l'UFAC fut cependant déterminant dans la constitution des fonds contemporains recueillis auprès de leurs créateurs, au fur et à mesure de leur réalisation. Grâce à une solide implantation dans les milieux professionnels, les acteurs de ce secteur ont été vite sensibilisés à la nécessité de préserver une partie de leur production, particulièrement évocatrice de leur savoir-faire, de leur succès ou de leur anticipation sur les modes à venir. De nombreuses maisons de couture ou d'industriels du textile et de l'habillement ont ainsi pris l'habitude de

7. *Albums « portefeuilles » de représentant.*
De gauche à droite et de haut en bas :
velours, toiles imprimées, dentelles, toiles, passementeries.

déposer au musée des prototypes représentatifs de leurs activités. Balmain, Dior, Chanel, Courrèges, Paco Rabanne, Guy Laroche, Givenchy, Nina Ricci, Louis Féraud, Lecoanet Hémant, Élisabeth de Senneville, Kenzo, Azzedine Alaïa sont quelques-uns des plus généreux.

Pour certains, leur histoire chemine avec celle du musée : il en va ainsi de Dior qui donna son célèbre tailleur « Bar » en 1948, dont le musée célébra la première rétrospective en 1987, de Paco Rabanne ou de Courrèges dont les premières donations sont contemporaines de leurs premiers exploits retentissants. Avec d'autres, comme la maison Chanel qui, depuis 1972, a donné près de 118 modèles, de 1956 à nos jours, s'établissent des rapports privilégiés et exemplaires d'une collaboration active, traduite notamment par la gestion du fonds patrimonial, confié à l'UFAC dès 1987.

Dans un autre registre, la donation faite par Du Pont de Nemours en 1972 est tout à fait significative des préoccupations multiples qui ont présidé à la constitution de la collection du musée. Cette société,

célèbre pour avoir élaboré nombre de fibres qui ont révolutionné le vêtement moderne, parmi lesquels figurent le Nylon et le Lycra, donna un ensemble de 22 modèles, tous créés en 1971 par les grands couturiers de l'époque (Cardin, Courrèges, Yves Saint Laurent, Patou, Ungaro, Balmain), utilisant une nouvelle fibre, le Qiana, dans des textures différentes. Nous possédons ainsi un exemple intéressant de la variété d'utilisation synchrone dans la mode d'une nouvelle matière.

Bien que non exhaustive, cette évocation des séries en provenance directe de producteurs est loin d'être, numériquement parlant, la plus importante dans les collections du musée. Ce type de fonds, précieux pour la compréhension du développement des différents métiers de l'habillement, évocateur de leur savoir-faire et des innovations techniques et stylistiques auxquels ils participent, ne saurait à lui seul justifier de l'appellation « musée de la Mode ». La mode ne saurait être exclusivement dans les propositions formulées par des créateurs, aussi clairvoyants et pertinents soient-ils. Pour qu'elle puisse être telle, encore faut-il que ces propositions soient suivies d'effet et adoptées par des consommateurs qui, par leur nombre et leurs usages simultanés, fondent cette notion.

Les garde-robes recueillies auprès de particuliers permettent dès lors de prendre le pouls de cette pratique et d'évaluer les phénomènes de mode. Plus encore, elles permettent d'apprécier le goût des consommateurs et les compositions qu'ils opèrent, en associant

3bis square antoine-arnauld. auteuil 36.17

F/603
6 Nov. 1951

Cher Monsieur,

[lettre manuscrite]

5 novembre 1951

8. *Lettre autographe de Madeleine Vionnet adressée à François Boucher, fondateur de l'UFAC, le 5 novembre 1951.*

Monsieur,

La Banque de Fra[nce] me fait part de vot[re] de 1 million [...] représentant [...] montant de la [...] que vous av[ez] [...] pour "l'Union du Costume" [...] est bien pa[...] m'en av[...]

[...] la maison. Je suis très heureuse quant à moi que cette collection [...] de costume à l'histoire de France et dans un musée français. Je sais que je dois beaucoup à votre intelli[gence] [...] initiative [...] [...] moi. Permettez-moi [...] cher Monsieur de vous [...] en vous ass[...] de mes sentiments les meilleurs. — Vtesse B. de Bonneval.

9. *Lettres autographes de la vicomtesse Bernard de Bonneval adressées à François Boucher, le 7 avril et le 7 juin 1949.*

les diverses propositions émises par l'ensemble des couturiers et des créateurs d'accessoires.

Le fonds acquis par l'UFAC auprès de la vicomtesse Bernard de Bonneval en 1949 est, à cet égard, tout à fait exceptionnel. Rare exemple d'une garde-robe bourgeoise couvrant une période de deux siècles, il témoigne d'une histoire de l'habillement français au sein d'une même famille. Les 1 033 pièces qui le composent, donnent un aperçu saisissant des différents éléments qui contribuent à l'habillement : vêtements masculins, féminins et enfantins, innombrables pièces de lingerie, dont une exceptionnelle série de 40 chemises du XVIIIe siècle, chapeaux, bas, guimpes, mouchoirs, nécessitèrent 17 caisses pour être acheminés de la propriété familiale d'Issoudun où ils avaient été soigneusement conservés.

Tout aussi importante par sa qualité et sa cohérence est la garde-robe de madame Brès donnée à l'UFAC en 1975 par sa fille et qui ne compte pas moins de 700 pièces. Des années 1920 jusqu'à la fin des années 1940, elle offre un beau panorama des habitudes vestimentaires d'une cliente discrète mais au goût sûr, habillée par Lanvin, Vionnet, Jenny, Callot Sœurs, Balenciaga et Dior. Ses accessoires, pièces de lingerie, chaussures, écharpes et chapeaux complètent cette vision d'une garde-robe élégante à laquelle ne manquent même pas les habits du chien Joujou, soigneusement exécutés !

Parfois, grâce à la vigilance de certains donateurs, la garde-robe d'une famille sur plusieurs générations a pu être rassemblée. C'est le cas de la descendance de Gustave Eiffel, dont près de 915 pièces ont enrichi la collection par vagues

10. *Albums de* copyrights *de maisons de couture* :
Mainbocher, février 1934 et avril-août 1934.
Les trois dessins avec échantillon datent de 1930.
Bruyère, automne 1933 ; Martial & Armand, hiver 1905-1906,
album ouvert sur le dessin du modèle « Cyclamen ».

successives de 1966 à 1978, provenant de différents membres de la famille grâce à l'obligeance de mademoiselle Solange Granet, son arrière-petite-fille.

Certaines garde-robes éclectiques témoignent du goût prépondérant pour certains couturiers ou certains types de vêtements. L'élégante et mondaine madame Patricia Lopez-Willshaw, qui a fait don de 68 pièces, avait une prédilection pour Elsa Schiaparelli comme en témoignent les 14 robes, 12 paires de chaussures, 3 paires de gants et 3 chapeaux.

Mrs. Kaindl fut une cliente assidue de Dior entre 1949 et 1958, à en juger par les 44 robes et accessoires griffés de ce couturier, qui figurent parmi les 128 pièces qu'elle destina à l'UFAC en 1971.

La princesse de Faucigny Lucinge appréciait particulièrement les plumes. Sur les 55 pièces qu'elle donna en 1954, comprenant chapeaux, éventails, capes et ombrelles, 46 en sont entièrement recouvertes.

Nadia Boulanger, l'infatigable musicienne, pédagogue et professeur entre autres de Léonard Bernstein, aimait à se vêtir sobrement de noir et de blanc, dans les créations de Jeanne Lanvin ou, pour le jour, de tailleurs de Creed.

La garde-robe de Cléo de Mérode, dont elle donna une partie en 1949, le reste ayant été remis à sa mort en 1967, riche de 221 numéros, recèle de très belles pièces de Doucet, son couturier favori, quelques costumes de scène, une belle collection de souliers de satin brodé à brides et, parmi des pièces de lingerie, des cache-corsets, munis à son intention de dispositifs élastiques, destinés à lui procurer quelque aisance sur scène.

Les donations faites par Béatrix Dussane, sociétaire de la Comédie-Française (257 pièces en 1965 et en 1969) révèlent un aspect intéressant du remploi. Certains vêtements du XVIIIᵉ siècle, qu'elle acheta vers 1920 à Arles et porta dans plusieurs pièces du répertoire du Français, comme des souliers des années 1920 au style « historicisant » d'Hellstern qui « jouèrent » dans le répertoire classique.

Tout aussi précieuses sont les garde-robes de personnes « anonymes » composées de vêtements de confection domestique, qui traduisent les courants de mode. À cet égard, ce qu'il convient de qualifier de « collaboration » de la part de mademoiselle Bourbonnais, institutrice à Tours, est exemplaire. De 1975 à 1991, au total six donations successives, constituées d'un ensemble de 119 pièces soigneusement étiquetées et annotées par elle-même, sont d'un apport documentaire remarquable : date de confection ou d'acquisition, circonstance de leur port, âge de leur usager, autant de données aptes à satisfaire le conservateur le plus exigeant, et à compenser les inconnues documentaires, si souvent (hélas !) insolubles…

Prototypes de fabricants ou garde-robes de particuliers, tous ces ouvrages contribuent à restituer une histoire des usages vestimentaires en France, avec tout ce que cela implique de partiel et de partial. En effet, la collection du musée, loin d'être le reflet de toutes les modes successives,

11. Factures de maisons de couture transmises par des clientes. donatrices du musée.

est le miroir des ruptures, de l'usage sélectif et aléatoire des produits de l'habillement, et des attitudes diverses adoptées face à leur obsolescence. Tout d'abord, la matérialité même des ouvrages auxquels nous nous intéressons les voue plus facilement que d'autres à l'usure. Ensuite, par leur usage, ils sont plus aisément destinés à la disparition. Soumis aux aléas de la mode, ils sont fréquemment « réformés » tout au long du XVIIIᵉ et du XIXᵉ siècle, passant d'un milieu à l'autre, remaniés, retaillés en d'autres vêtements jusqu'à leur usure complète qui les dérobe à jamais à notre connaissance. À cette fatalité de la transformation échappent les pièces de petites dimensions formées de plusieurs morceaux de tissus, et peu exploitables à ce titre. C'est cela qui explique la grande quantité de caracos ou de corsages conservés, alors que les jupes qui, logiquement, les complétaient, ont disparu. À cette pratique du remploi il faut attribuer également l'absence systématique des fonds de robe, aussi bien du XIXᵉ siècle que de la première moitié du XXᵉ siècle. Enfin, certaines garnitures précieuses, comme la fourrure dont s'agrémentent nombreux manteaux au cours des trois premières décennies du siècle, ne nous parviennent pas sur leur vêtement d'origine, victimes elles aussi du remploi.

Aujourd'hui, certains types de vêtements, connaissant une longue carrière, ont du mal à trouver le chemin de nos réserves. C'est le cas notable du costume d'enfant dont la taille devient rapidement incompatible avec la croissance de son premier destinataire ; peu porté il continue d'habiller petits frères et cousins jusqu'à l'usure complète !

D'autres vêtements nous parviennent encore en grande quantité, en raison de la valeur que leur attache leur propriétaire. Il peut s'agir de « reliques », rappelant le souvenir d'un ancêtre illustre, ou particulièrement aimé, ou de témoignages de certains moments uniques de la vie, tels le baptême, la communion, le mariage.

12. Quelques revues de mode parmi les 250 titres conservés
au centre de documentation de la Mode et du Textile.

À l'inverse, les sous-vêtements pourtant extrêmement répandus ne nous parviennent que dans une très faible proportion. Curieusement, les collections du musée regorgent de pièces de lingerie du XIXᵉ et du début du XXᵉ siècle et sont quasiment démunies d'exemples plus contemporains. On peut y voir l'action néfaste d'un entretien quotidien qui les voue plus facilement à l'usure. Mais le sentiment de pudeur n'est sans doute pas étranger à cette absence constatée dans nombreuses donations que nous recueillons auprès des particuliers. En effet, l'état n'est souvent qu'un faux alibi, à considérer celui de certains costumes offerts par nos donateurs sans plus de gêne. Il est vrai que l'intimité des aïeuls, par la distance qu'établit le temps, devient moins embarrassante, et ces témoignages acquièrent un caractère suffisamment exotique pour les rendre anodins.

Enfin, une partie considérable des collections, soit près de 35 000 pièces du musée, est constituée d'accessoires du vêtement dont l'affectation exacte est quelquefois difficile à déterminer. Il en va ainsi des boucles, rubans, boutons, plumes ou fleurs qui nous sont parvenus seuls ; si leur date de fabrication peut être déduite par la technique ou le style, il est très malaisé de déterminer leur « carrière » avec précision. Certaines boucles ont pu indifféremment servir à la fermeture des gilets ou des culottes, d'autres à agrémenter chapeaux ou chaussures... De même rubans, boutons, plumes et fleurs, articles de nouveauté par excellence, ont pu être réutilisés quelquefois sur plusieurs décennies par des générations différentes, dans des tenues très diverses, dont ils pouvaient à chaque fois être des éléments pertinents et non de simples « pis-aller ». Il s'agit aussi d'une quantité importante de pièces de lingerie (au nombre de 3 000), chemises, corsets, cache-corsets, guimpes, engageantes, manches, jupons, bas, tout comme des chaussures, chapeaux, gants, sacs, ombrelles ou éventails, cravates, écharpes, qui se portaient avec des tenues particulières. Leur mode de composition à l'intérieur d'une même garde-robe nous est pour la plupart du temps inconnu en l'absence de témoignages précis, recueillis auprès de leurs usagers.

Les sources testimoniales, comme les gravures, revues de mode ou manuels de savoir-vivre, fréquemment sollicitées, ne permettent d'en restituer qu'un usage « normatif », excluant la faculté qu'a chacun d'interpréter ou d'utiliser les différents produits de l'industrie de l'habillement à sa guise, selon son goût personnel.

Ces mêmes sources restent muettes, par ailleurs, sur une quantité de questions posées par les ouvrages présents dans les collections. À titre d'exemple, nous ne citerons que le cas du bas dont le musée possède plusieurs centaines de modèles de la fin du XVIIIᵉ siècle à l'époque contemporaine. Jamais représenté sur les gravures de mode du XIXe siècle, puisque entièrement occulté par la longueur de la jupe, il est de ce fait impossible d'établir une typologie de son usage en fonction des tenues. Or, tout au long de ce siècle, il se caractérise par une richesse et une variété ornementale extra-ordinaire, que nous ne pouvons nous résoudre à considérer indifférente à la composition du reste de la tenue, surtout dans un système vestimentaire extrêmement codifié.

Sans prétendre à une exhaustivité qui serait illusoire, les collections de vêtements et de textiles du musée n'en consti-tuent pas moins les témoignages précieux des performances techniques et esthétiques réalisées

13. Cartons d'invitation aux collections de couturiers, dossiers de presse et documents de communication. Centre de documentation de la Mode et du Textile.

au cours des siècles, des goûts changeants, de l'évolution de la notion d'hygiène ou de bienséance.

Seules pourtant, elles ne suffiraient pas à rendre compte du système complexe de la mode, indis-sociable de la réalité économique et sociale dans laquelle il se forme. Pour cela, d'autres ouvrages ont été conjointement collectés, conservés, composant aujour-d'hui un fonds riche de plusieurs centaines de milliers de documents très variés, permettant d'embrasser tous les aspects de notre domaine de prédilection : les moda-lités de l'apparition d'une mode et de sa diffusion, ou encore les prescriptions et les réticences formulées à son égard, l'identification des acteurs qui président à son élaboration et l'organisation des professions qui y contribuent.

Les revues et journaux spécialisés apparus à la fin du XVIIIe siècle et dont la diffusion se déve-loppe tout au long du siècle, allant de pair avec une multiplication des titres, tiennent un rôle capital dans le lancement des nouveautés. Ils attestent de l'apparition de formes nouvelles, préconisent des

nouveaux usages, prescrivent, de concert avec les manuels de savoir-vivre, la bonne manière de s'habiller selon les circonstances. Par leur ton, leur format, leur périodicité et leur prix, ils visent des publics différents : leur étude comparative nous fait discerner les différents niveaux de diffusion des modes, et les multiples avatars d'un même engouement.

Les catalogues commerciaux, dont le Centre de documentation de la Mode et du Textile dénombre près de 15 000 exemplaires, comme les factures et les livres de vente complètent cette évaluation par différentes données économiques, tels le prix des articles ou les pratiques de vente. Ils permettent également de confirmer le succès de certains modèles auprès de la clientèle et de nuancer le rôle prescrip-teur des journaux de mode. Les archives de la maison Vionnet nous fournissent à ce titre un bel exemple : pour l'année 1928, l'étude du relevé des ventes désigne comme « best-seller » (avec 132 répétitions réalisées) le modèle 3 701, une petite robe de jour en crêpe marocain noir que le musée a la chance de posséder. Or, ce plébiscite diverge notablement avec les choix journalistiques de l'époque qui s'étaient portés sur les modèles travaillés de petits plis disposés géométriquement et dont trois variétés nous sont parvenues.

Enfin, les albums d'échantillons textiles ou de dessins de modèles, en nous restituant l'ensemble de la production d'une maison, saison après saison, contribuent à mieux nous faire cerner leur caractère souvent anticipateur sur les modes.

D'autres documents, dossiers de presse, cartons d'invitation aux collections, objets publicitaires, par l'attention particulière qui préside à leur élaboration et par leur message supposé traduire le style et l'originalité de leurs émetteurs, sont significatifs de l'univers créé par chaque couturier ou industriel. L'image autant que le message étant désormais indissociables de l'ouvrage qu'ils accompagnent, et comptant pour une grande partie dans son succès médiatique, on comprend aisément l'intérêt de cette collecte.

Le musée, par la diversité et l'originalité de ces fonds spécialisés, par la qualité de ses collections de vêtements et de textiles, loin d'être un réceptacle accueillant de souvenirs épargnés par le temps et la naturelle pulsion destructrice de l'homme, se veut non pas le garant mais un acteur à part entière de la mémoire collective.

14. Dans les réserves, une travée de robes du XIXᵉ siècle.

DU MOYEN ÂGE
AU SIÈCLE
DES LUMIÈRES

15. Velours ciselé, Espagne ou Italie, milieu du XVIe siècle.
C'est un tissu très riche, au dessin en camaïeu or et argent bouclé par la trame sur fond or lancé : l'effet de la chaîne poil rouge qui forme le velours est limité aux rameaux du dessin secondaire et aux contours du dessin principal. qui se détache mieux ainsi sur le fond or.

16. Les règnes de Louis XIII et de Louis XIV. 16 a. *Pourpoint en satin liseré, brodé de soie rouge, France ou Italie, vers 1630-1640.*
Les crevés sont bordés de passementerie. 16 b. *Veste en peau, décor de brandebourgs en broderie or, vers 1690.*
Veste très longue, fendue dans le dos et sur les côtés, qui se portait boutonnée sous un justaucorps un peu plus long.
16 c. *Justaucorps, veste et culotte, sergé de laine brun rouille, veste en taffetas rouge, décor d'application de guipures polychromes, vers 1695.*

Dans l'histoire du vêtement, on distingue les vêtements drapés, formés d'une simple pièce d'étoffe dont seul le port précise l'emploi et les vêtements coupés et cousus, plus ou moins ajustés, tels qu'ils apparaissent en Europe peu avant le milieu du XIVe siècle. Sous l'Empire romain, à l'époque chrétienne, aucune différence ne séparait nettement les vêtements des prêtres et des laïcs. À partir du VIe siècle, quand l'Église réprouve l'habillement court et ajusté des barbares, le costume religieux se différencie sensiblement du costume laïc en conservant l'ampleur et la longueur romaines et se hiérarchise : tunique pour le sous-diacre, dalmatique pour le diacre et l'évêque, chasuble pour le prêtre célébrant, chape pour tous les membres du clergé.

L'évolution du vêtement du Moyen Âge à nos jours est marquée par l'effacement de la mode masculine devant la mode féminine, le renversement s'amorçant au milieu du XVIIIe siècle et apparaissant d'évidence dès le Premier Empire. Le costume long laïc est généralisé vers 1140, il est plus ou moins indifférencié entre hommes et femmes. C'est à partir du XIVe siècle que l'on peut suivre dans l'habillement des modifications qui présentent nettement un caractère de mode. Une rupture se produit vers 1340, avec l'abandon, pour les hommes, du costume long et flottant, remplacé par un costume court, ajusté, fendu devant, boutonné ou lacé, fait de deux parties – le pourpoint et les chausses –, première étape vers le costume moderne. La longue robe pour les hommes subsista cependant comme insigne du pouvoir ou comme

Jean-Paul Leclercq

costume d'état, laïc ou religieux, avec des couleurs et des attributs distinctifs. S'il reste aujourd'hui encore quelques gens de longue robe dans le monde laïc, ce sont principalement des gens de justice, qui ne portent ce costume que dans l'exercice de leur fonction. Le pourpoint, porté sous la houppelande et redevenu vêtement de dessous au début du XVe siècle, est de nouveau vêtement de dessus au début du XVIe siècle, sous Louis XII. Il est orné de taillades et de crevés, et porté avec un haut-de-chausses, le décolleté est droit et les étoffes sont riches. Au milieu du XVIe siècle apparaît la fraise, un des premiers emplois de la dentelle. Sous Henri III, l'extravagance vestimentaire est marquée par le pourpoint à manches ballonnées et plastron saillant ou « panseron », et des chausses « parties » (de couleurs différentes pour chacune des jambes), suivant un parti d'asymétrie qui apparaît au XIIIe siècle avec la vogue des armoiries.

Sous Louis XIII, les hauts-de-chausses s'allongent en pantalons à mi-jambes, portés avec des bottes à large revers, un pourpoint à basques découpées, et un manteau jeté, asymétriquement, sur l'épaule. Le début du règne de Louis XIV correspond à la période baroque de la mode masculine, avec la « rhingrave » ou culotte bouffante et les flots de rubans qui l'accompagnent. Vers 1670 naît l'habit à la française, en trois pièces, dont dérive le costume masculin actuel : le justaucorps recouvre une veste dérivée du pourpoint, le haut-de-chausses prend une forme ajustée au genou et devient la culotte. Le pantalon, porté par les matelots au XVIIIe siècle ne remplacera la culotte qu'à partir de l'époque révolutionnaire, et d'abord dans les milieux populaires : c'est le vêtement des sans-culottes.

Vers 1340, à l'époque qui correspond à l'apparition du costume court pour les hommes, les femmes portent une tenue au corsage ajusté, avec une traîne qui allonge la silhouette. La taille remonte sous les seins au début du XVe siècle, et la houppelande portée par les deux sexes est ouverte devant pour l'homme, fermée pour la femme. Les manches, amples et tombant parfois jusqu'à terre, se prêtent à de multiples variantes (il en est de même pour les hommes) et restent encore l'un des points remarquables de la mode féminine jusqu'au début du XVIIe siècle. Les coiffures à cornes du XVe siècle atteignent l'extravagance, comme le feront, au début du règne de Louis XVI, les « poufs », édifices de cheveux, de crin et de gaze, chargés d'accessoires les plus variés, allant de la frégate de la « coiffure à la Belle Poule » aux amoncellements de plumes, de fleurs, d'arbres, d'animaux divers…

Vers 1490 apparaît à la cour d'Espagne le *verdugo*, jupon armé de cercles rigides donnant à la jupe une forme conique. Il est introduit en France vers 1520 et prend le nom de vertugadin. Montée sans fronces à la taille, la jupe impose à la silhouette une allure rigide, renforcée au milieu du siècle par le corps baleiné qui rétrécit la taille et emprisonne le thorax. Jusqu'à la Révolution, la silhouette féminine joue des artifices divers qui donnent de l'ampleur à la jupe, tout en amincissant la taille, emprisonnée dans un « corps » ou corset. Celle-ci redevient haute sous Louis XIII, où la robe se porte souvent retroussée sur les hanches, suivant un parti qui réapparaît au XVIIIe siècle, où les grandes évolutions de la mode se lisent à la façon de traiter le dos de la robe : avec plis (robe volante, robe à la française) ou sans plis (robe à la polonaise, robe à l'anglaise). Dans la seconde moitié du règne de Louis XVI, la « robe en chemise », en étoffe légère, la taille ceinte d'une écharpe, annonce déjà le XIXe siècle.

17. Tenues ordinaires. 17 a. *Caraco et jupe, toile imprimée à fond brun noir violacé, vers 1780-1785.*
Les basques sont plissées. 17 b. *Caraco et jupe, piqué, satin vert et toile, vers 1750.*
Tenue d'hiver, portée plutôt à la campagne, les basques sont courtes et fendues. 17 c. *Caraco et jupe, toile glacée, imprimée sur fond clair.*
Le dos et le devant du caraco sont baleinés, les basques rejetées en arrière.

DU MOYEN ÂGE AU SIÈCLE DE LOUIS XIV

La pièce de costume la plus ancienne du musée est une tunique copte datée du VIIe siècle qui provient des campagnes de fouilles menées en Égypte au XIXe et au début du XXe siècle. L'intérêt se portait alors sur les parties ornées, qui seules souvent ont été conservées : le reste du fonds copte est constitué de fragments. La technique employée pour le décor est ici la tapisserie.

LES FASTES DE L'ÉGLISE

Le fonds médiéval et Renaissance du musée est surtout religieux. Les ornements liturgiques dont les formes changeaient peu inspiraient un certain respect, ce qui favorisa leur conservation. Dans la période initiale de la constitution des collections, l'art religieux avait un grand poids économique et les modèles du Moyen Âge étaient recherchés comme les mieux à même d'exprimer la foi chrétienne. Les modèles de la Renaissance inspiraient plutôt l'art profane, même si celui-ci pouvait tirer parti du décor de chasubles, chapes, dalmatiques ou devants d'autels, dont le musée possède quelques beaux exemples provenant d'Espagne (*ill. 18*).

À côté d'ornements entiers, il existe cependant des fragments ou des lés. Ce sont surtout des velours et des lampas au dessin stylisé, l'or et l'argent formant le motif ou, parfois, le fond des plus précieux d'entre eux (*ill. 15*). Des broderies ou des tissus façonnés à décor religieux constituaient les parties les plus riches des vêtements : croix de chasubles, orfrois et chaperons.

La broderie en haut relief de l'Allemagne méridionale est représentée par une chasuble et une

18. Dalmatique, deux tissus, lampas fond satin brun violacé, lancé et broché métal, bouclé par la trame et velours coupé rouge brodé or, avec détails en or nué de soie polychrome, Espagne, première moitié du XVIe siècle. La disposition du décor brodé or sur fond rouge, avec un grand panneau au bas du dos et du devant, correspond à l'usage espagnol.

croix de chasuble du XIVe siècle. Plus généralement, le décor brodé des ornements liturgiques est fait de fils or ou argent couchés sur le tissu de fond, maintenus par des points de soie monochrome, espacés et disposés géométriquement, ou par des points de soie de couleurs variées, serrés et disposés suivant le dessin à produire : c'est la broderie en or nué, de coût élevé, qui s'emploie avec d'autres procédés de broderie en soie polychrome sans métal.

Une dalmatique Renaissance montre un décor d'entrelacs de rubans en application. Au XVIIe siècle s'affirme le goût des fleurs brodées avec un souci d'exactitude botanique, alternant avec une iconographie ou des symboles religieux.

L'ORNEMENT DE LA DEMEURE

Si à la fin du Moyen Âge et plus particulièrement au XVIe siècle, on a souvent recouru à la tapisserie de lisse pour l'ornement des murs, l'ameublement a été aussi le domaine du tissu à décor façonné ou brodé. Ce sont des tapis de table (*ill. 19*) et des garnitures de lits – pentes de baldaquins, ciels de lit ou panneaux de chevet. Les difficultés de chauffage et une distribution intérieure avec des pièces en enfilade sans destination bien définie, conduisaient en effet à créer à l'intérieur des chambres une enceinte textile soutenue par les superstructures du lit. Le décor pouvait en être d'autant plus riche que ces chambres étaient aussi des lieux de réception. Là se réunissaient, au XVIIᵉ siècle, les beaux esprits des cercles précieux, dont le précurseur est celui de la marquise de Rambouillet.

Lorsque le décor n'est pas purement ornemental, l'inspiration se fait volontiers mythologique. Des grotesques ou arabesques de la Renaissance aux entrelacs à décor de lambrequins de la fin du règne de Louis XIV, domine ici la broderie d'application. Elle était de moindre coût, adaptée à l'échelle de l'ameublement, et s'employait souvent avec d'autres techniques de broderie. Certains détails, comme des visages, pouvaient être peints sur des morceaux de satin ou de taffetas découpés en forme et appliqués.

GANTS ET ESCARCELLES

Du vêtement civil du Moyen Âge ou de la Renaissance subsistent surtout des accessoires, moins sujets à remaniement ou remploi que les costumes eux-mêmes, et moins difficiles à conserver. Il en est ainsi des montures d'escarcelles en fer forgé, dont le musée possède plusieurs exemples, de style gothique flamboyant (*ill. 21*) ou Renaissance, certaines avec des poches en tissu ou en cuir reconstituées. Deux sacs en peau, offerts au musée, sont demeurés à peu près intacts et dans un état de fraîcheur exceptionnel (*ill. 22*). Comme les escarcelles, ces sacs se

19. *Tapis de table, taffetas vert, brodé soie et métal, Portugal, première moitié du XVIIᵉ siècle.*
Le décor associe des motifs ornementaux en camaïeu, des fleurs et des fruits traités au naturel et des animaux, réels ou mythiques. Au centre, le jugement de Pâris ; à gauche, Junon et son paon, Minerve, Vénus, Cupidon ; à droite, Pâris, Mercure. L'inscription est une citation de l'*Énéide* de Virgile : « *MANET. ALTA. MENTE. REPOSTVM. IVDICIVM. PARIDIS.* » (Le jugement de Pâris lui est resté profondément gravé dans le cœur).

portaient à la ceinture, par-dessus le manteau, ainsi que le montrent les tapisseries, la peinture ou la sculpture de cette époque.

Aussi exceptionnelles mais bien plus anciennes sont deux bourses de la fin du XIIIᵉ ou du début du XIVᵉ siècle, en canevas de lin brodé de soie polychrome. L'une d'elles, aux armes du Béarn, est aussi brodée du filé or et ornée de quelques perles naturelles. L'autre, plus grande, est entièrement brodée d'armoiries, selon le goût de l'époque.

Du XVIIᵉ siècle datent plusieurs paires de gants à crispins (*ill. 20*), une paire de moufles brodées de métal, plus rares, et une paire de chaussures de femme à bout carré (*ill. 43*), de France ou d'Italie, en partie brodées comme le pourpoint rose de même époque (*ill. 16 a*). Elles sont à socque intégré, comme celles dont on voit la représentation dans *Le Cordonnier*, une gravure d'Abraham Bosse de la série des métiers (vers 1635).

POURPOINTS, JUSTAUCORPS, CAMISOLE

Il subsiste peu de vêtements profanes antérieurs à la Régence. Même au XVIIIᵉ siècle, en France, l'usage de la cour voulait que chaque année une part importante des garde-robes, passée

20. *Paire de gants à crispins, peau et satin écru brodé soie polychrome et métal, paillettes fendues, passementerie en filé or, avec des paillettes or irrégulières à trou rond, décentré, à l'emporte-pièce, doublure et soufflets en taffetas rose, vers 1630.*
Le décor brodé des manchettes hautes et évasées, qui forment les crispins, comprend des grenades, des pensées, des œillets.

de mode, soit réformée. En revanche, dans d'autres cours royales, des toilettes étaient préservées. Les rares pièces du XVIIᵉ siècle conservées dans la collection du musée le sont à l'unité.

La première n'est pas française, c'est une robe ou toge de sénateur vénitien, taillée dans un damas rouge dont le dessin à très grand rapport date du milieu du XVIᵉ siècle. La fonction sociale, ici celle de sénateur, a figé la forme du vêtement et le dessin du tissu, encore produit au XVIIᵉ siècle.

La deuxième pièce est une cape en damas vert avec de très longues manches pendantes et ouvertes, que l'on peut voir attachées à la robe, sur certaines toilettes féminines de l'époque de Louis XIII. Les gravures d'Abraham Bosse montrent la même forme de cape, mais sans manches et portée par des hommes. C'est peut-être ici un exemple de la manière dont le costume féminin s'inspire de la mode masculine ; on peut songer aussi à d'éventuels remaniements, qui peuvent être anciens.

Le pourpoint à créneaux du premier quart du XVIIᵉ siècle, en velours façonné violet sur fond satin crème, a pu être remanié au début du règne de Louis XVI, où fut en vogue la mode du règne d'Henri IV. De cet engouement, ou du travail d'un

21. *Monture d'escarcelle, fer forgé, fin du* XIᵉ *siècle ou début du* XIIᵉ *siècle.* Ces escarcelles se portaient à la ceinture. Celle-ci semble avoir eu deux poches, l'une externe et l'autre interne, en tissu ou en cuir. L'ouverture était délimitée pour chacune par l'un des deux cercles métalliques de la monture, dont le décor s'inspire de l'architecture gothique flamboyante.

costumier du XIXᵉ siècle, peut aussi dater, s'il n'est d'origine, le ruban vert qui orne un corps de robe.

Les camisoles en tricot de soie et filé or ou argent sont conservées en plus grand nombre en Grande-Bretagne, dans les pays scandinaves, et au Danemark où elles ont servi de vêtements funéraires royaux. Celle du musée est un très bel exemple du début du XVIIᵉ siècle. On ne sait presque rien des modes et des lieux de leur production, attribuée soit à l'Espagne (le tricot serait parvenu en Europe par les Arabes), soit à l'Italie ou à la Grande-Bretagne (où fut inventée la machine à tricoter en 1589), voire aux pays du nord de l'Europe. Mal connu, peu publié et rare dans les collections de textiles et de costumes, le tricot est cependant représenté au musée par d'autres pièces importantes : deux paires de gants liturgiques, du début du XVIIᵉ siècle, de même fabrication, probablement italiennes, en soie et filé or, l'une verte et l'autre rouge – deux des couleurs liturgiques –, et un bas bicolore, rouge et crème, à broderie argent, du début du XVIIIᵉ siècle.

22. *Sac plissé à cordon de tirage, cuir, baudruche dorée, soie verte, seconde moitié du* XVIᵉ *siècle.* La fermeture se fait par des lacets en cuir, deux poches sont à l'intérieur, huit à l'extérieur. Le sac se portait à la ceinture.

La dentelle : des édits somptuaires à la création de manufactures

Des cols masculins ou féminins du XVIIe siècle aux cravates, barbes et fonds de bonnet du XVIIIe, les accessoires en dentelles et les œuvres appartenant à des techniques voisines sont les plus nombreux parmi les accessoires du costume de cette époque.

Les pièces sont entièrement en dentelle lorsque le dessin a été conçu d'après la forme de l'objet. Dans ce cas, il n'y a ni assemblage (sauf lorsque le dessin a été réalisé en plusieurs parties) ni coupe. Pour agrémenter des vêtements en tissu, on emploie des motifs en dentelle destinés à être montés, ou de la dentelle produite en bande à couper aux dimensions voulues.

La dentelle à l'aiguille, dérivée de la broderie blanche, apparaît à Venise dans la seconde moitié du XVIe siècle, la dentelle aux fuseaux est connue dès cette époque en Flandres et en Italie. Toutes les deux firent l'objet d'un engouement tel que leur usage fut réglementé en France pour en freiner l'importation. Mais les édits somptuaires manquèrent d'efficacité, et il devint préférable de produire des dentelles en France. C'est ainsi que Colbert décida, en 1665, de créer des manufactures royales de « point de France ».

Objets de grand prix, les dentelles étaient thésaurisées, comme le furent les étoffes les plus précieuses, employées ou remployées parfois plusieurs décennies après leur achat. Elles figurent souvent dans les inventaires après décès. La vogue persista au XVIIIe siècle, ne déclinant qu'à la fin du siècle, avant la reprise des industries de luxe sous l'Empire.

Ce furent d'abord Venise et les Pays-Bas qui dominèrent la création et le marché de la dentelle ; le point de France et le goût français s'affirmèrent dans le dernier tiers du XVIIe siècle, l'excellence passant ensuite en Belgique, où rayonna la production de Bruxelles. Hors la persistance de motifs simples (la passementerie a fait un grand usage de la dentelle métallique, en fils or ou argent), le dessin s'affranchit des contraintes du procédé employé, de la géométrie simple de la dentelle à point coupé ou à fil tiré, ou du filet brodé, et créa un style propre comme le gros point de Venise à l'aiguille. Dans la première moitié du XVIIIe siècle, la dentelle, à l'aiguille comme aux fuseaux, réussit à suivre, avec une virtuosité particulière, les modèles donnés aux arts décoratifs par les ornemanistes. Elle perdit alors une part de son autonomie graphique, mais servit à son tour de modèle au dessin des soieries façonnées, lampas à décor de dentelle, vers 1720-1730 ou, sous une forme plus simple, tissus à méandres du milieu du XVIIIe siècle. Lorsque l'emploi de la dentelle déclina, dans le dernier quart du siècle, elle fut encore imitée pour décorer les bordures brodées des habits ou certaines toiles imprimées.

23. *Entre-deux, point coupé rebrodé, Venise, fin du XVIe ou début du XVIIe siècle. Le dessin répétitif, à sirènes à deux queues et cornes d'abondance, est compris entre deux bordures : ces bandes de dentelle, appelées entre-deux, formaient les parties ajourées de nappes.*

24. *Volant (détail), dentelle à l'aiguille au point de France, vers 1690. Le décor végétal stylisé est inspiré du gros point de Venise, mais il est beaucoup plus aéré. Les motifs principaux, à la gloire de Louis XIV, s'apparentent au décor à la Bérain dans un jeu complexe de symétrie et d'asymétrie. Ils sont surmontés alternativement par le soleil ou par la lune.*

25. *Cravate, dentelle aux fuseaux dite d'Angleterre, Bruxelles, vers 1740. Le dessin coïncide avec la forme de la cravate. Les motifs évoquent la gloire sans cesse renaissante des armes : le bruit et les palmes de la victoire dans les angles, au centre, un trophée d'armes d'où sort un palmier – symbole de renaissance – surmonté d'une couronne.*

26. Régence et règne de Louis XV. 26 a. *Justaucorps, droguet liseré, vers 1750*. Le décor est limité au dessin de boutonnières.
26 b. *Justaucorps, velours frisé, liseré, broché métal, vers 1730-1740*. Manches à grands parements ouverts, coupés droits, basques à plis multiples.
26 c. *Justaucorps, drap de laine, broderie de soie écrue, vers 1720*. 26 d. *Robe de chambre, lampas à décor de dentelle, vers 1730*.

LE XVIIIᵉ SIÈCLE,
L'ÉLÉGANCE À LA FRANÇAISE

LE COSTUME MASCULIN

De la fin du XVIIᵉ siècle au Premier Empire pour les tenues de cour, le costume masculin évolue peu, les différences tenant plus au rang et à la fortune, à la saison ou à des circonstances diverses. L'habillement masculin se compose des trois pièces de l'habit à la française : le justaucorps, la veste et la culotte. Le justaucorps (vêtement de dessus) prend sous Louis XVI le nom d'habit ; il se diversifie sous la forme du frac, plus large que l'habit, sans poches extérieures, qui restera un habit négligé, et de la redingote, avec col rabattu, dérivée du *riding coat* anglais à deux ou trois collets rabattus.

La veste (vêtement de dessous) est faite d'une étoffe ordinaire pour le dos, plus riche pour le devant. Lorsqu'elle perd ses manches à la fin du règne de Louis XV, la veste raccourcit et prend le nom de gilet, terme présent à partir de 1762 dans le *Dictionnaire* de l'Académie française (*ill. 42*). La culotte descend jusqu'au-dessous du genou, où elle est ajustée.

Dans l'*Art du tailleur*, paru en 1769 sous l'égide de l'Académie des sciences, F.-A. Garsault, qui parle encore de « justaucorps », note : « Il y a déjà longtemps qu'on n'a rien changé à l'essentiel de l'habit complet françois ; les modes s'exercent seulement sur les accessoires, comme sur les boutons, les parements, les pattes, la taille, les plis, etc. Les boutons gros, petits, plats, élevés ; les parements ouverts, fermés, en bottes, en amadis, hauts, bas, amples, étroits ; les pattes en long, en travers, en biais, droites, contournées ; la taille haute, basse ; les basques longues, courtes, plus ou moins de plis, etc. La mode d'attacher des jarretières à la culotte

pour la serrer sous le genou, n'est pas ancienne, précédemment on roulait les bas avec la culotte sur le genou. »

Garsault raisonne en tailleur, et néglige le décor de l'étoffe qu'il soit tissé, brodé, ou encore imprimé. Au début du règne de Louis XV, la broderie tend à se limiter à un décor de fausses boutonnières imitant des brandebourgs, et s'efface au profit du dessin du tissu (*ill. 26 b*) qui avait été luxueux d'abord pour la veste. Puis le dessin se réduit à son tour à de petits motifs répétitifs : c'est l'époque des droguets liserés (*ill. 26 a*) et des velours façonnés lamés. Lorsque les fausses boutonnières sont abandonnées, les boutons à revêtement métallique deviennent, avec le tissu, le seul ornement (*ill. 40 b*).

La broderie reparaît alors, suivant la coupe du justaucorps, la veste étant taillée d'abord dans le même tissu que le justaucorps et la culotte (*ill. 27 b*) : il n'y a plus les bandes brodées dans l'axe du dos, ni sur les côtés, ni sur la longueur des manches de la fin du règne de Louis XIV (*ill. 16 c*) et de la Régence (*ill. 26 c*) et que l'on retrouvera sur les plus somptueux costumes de cour du Premier Empire. Le décor se porte sur les pans du devant, les pattes des poches, les plis des basques et les parements des manches, ajustés et fermés.

Simultanément, sur un dessin à disposition imité de celui de la broderie, comme très tôt dans le siècle pour les vestes, le décor tissé revient. Le rapport de dessin comprend l'ensemble des pièces ornées de l'habit, du gilet (*ill. 34 a et b*) et de la culotte, puis du gilet seul, lorsqu'à la fin du règne de Louis XVI, il fut taillé plus souvent dans un tissu autre que celui de l'habit et de la culotte, comme les vestes dans le premier quart du siècle, et obéit à des partis décoratifs différents.

27. Mode masculine sous le règne de Louis XVI et sous la Révolution. 27 a. *Habit et culotte, velours coupé, liseré à dessin miniature, broderie en camaïeu or et argent, vers 1780.* 27 b. *Habit, gilet et culotte, velours frisé à dessin miniature, broderie de soie polychrome, vers 1780.*
27 c. *Habit et culotte en cannelé simpleté, liseré à dessin miniature, gilet en taffetas uni, broderie de soie et de paillettes, et paillons en miroir à verre incolore, jaune, maure ou bleu, vers 1785-1790. La hauteur du col indique une date tardive.*

27 d. *Habit, toile de coton rayée tricolore, bleu, blanc, rouge, boutons en cuivre, vers 1790.* Cet habit, à col rabattu et revers boutonné,
est dérivé de la redingote anglaise et des uniformes militaires. 27 e. *Habit, pékin rayé, ombré, vers 1790.*
Exemple de l'habit à la française marqué par l'anglomanie. Les rayures sont en faveur à la fin du règne de Louis XVI
et sous la Révolution. 27 f. *Habit dégagé, drap de laine brun rouille, vers 1795.*

LE COSTUME FÉMININ

Le sens du mot « robe » a au cours des siècles une signification mouvante qui suit l'évolution du costume. Si aujourd'hui ce terme désigne un vêtement de dessus, d'une seule pièce, couvrant le haut et le bas du corps, il s'emploie au XVIII siècle pour désigner un ensemble de vêtements, dont les parties visibles sont généralement taillées dans la même étoffe (*ill. 30, 33*) : le manteau de robe, qui prend en haut du corps la forme d'un corsage et tombe jusqu'à terre, masquant plus ou moins la jupe ou qui se porte relevé de diverses façons ; la jupe ou jupon, froncée à la taille par des liens coulissants (*ill. 29*) ; la pièce d'estomac, triangulaire (*ill. 28*), qui se place entre le décolleté et la taille, masquant le corps baleiné (*ill. 31*) lorsque le manteau ne comporte pas deux pans boutonnés ou agrafés, les « compères ». Les termes de « corsage » et de « jupe » sont aussi employés pour désigner le haut et le bas du manteau de robe.

Une chemise de lingerie se portait sous le corps baleiné. L'ampleur de la jupe était déterminée pour des paniers de formes et d'ampleurs diverses, variant avec la mode et les circonstances : Marie-Antoinette avait des robes pour grand, moyen ou petit paniers. Pour pallier l'incommodité de ces accessoires, on adopta des paniers à structure métallique (*ill. 32*), articulés de façon à être relevés sur les hanches, lorsqu'il s'agissait de s'asseoir dans une chaise à porteur ou de franchir une porte étroite. D'autres, en deux parties, amplifiant les hanches, avaient l'aspect de deux sacs en toile, armés chacun de deux ou trois demi-cercles en osier ou autre matière plus ou moins rigide, et se fixaient à la taille par des liens ; fermés en bas, ils servaient aussi de poches, accessibles par des fentes que l'on ménageait sur les hanches dans les plis de la jupe et du manteau de robe.

Les collections du musée permettent de retracer les grandes lignes de l'évolution du costume à partir de la Régence, malgré le nombre réduit de pièces antérieures à l'époque Louis XVI et quelques lacunes. On doit regretter de ne pouvoir montrer la richesse ornementale des robes de la fin du règne de Louis XIV, avec un manteau au corsage ajusté, relevé sur les hanches, souvent portées avec un bonnet à la Fontanges – du nom de la favorite du roi –, ou encore le corsage fermé par des agrafes ornées de pierreries.

De la robe de cour ou « grand habit » qui en dérive, seul témoigne un corps baleiné, du milieu du siècle, à décor de faux brandebourgs en S brodés or sur fond rose. La robe à la polonaise et ses variantes ne sont représentées que par une robe incomplète, et le musée ne détient aucune de ces robes blanches en étoffes légères, la taille ceinte d'une écharpe et encore à sa place naturelle, mises à la mode par Marie-Antoinette à partir de 1783, appelées « robes en chemises », dont dérivent les robes à la taille haute du Directoire, du Consulat et de l'Empire.

LA ROBE VOLANTE

Deux robes volantes à l'étoffe somptueuse ouvrent le siècle des Lumières (*ill. 30 a et b*). L'une est en lampas à décor de dentelle, superbe exemple d'une famille de tissus en faveur dans les années 1720-1730, l'autre en lampas à fond de satin vert et dessin à deux chemins suivis.

La robe volante, portée sur un panier circulaire, à demi fermée devant, n'a plus le corsage ajusté de la mode précédente et se caractérise par son ampleur, accrue dans le dos par deux groupes de plis libres partant de l'encolure, souvent mentionnés sous l'appellation de « plis à la Watteau », plusieurs dessins ou tableaux de ce peintre en donnant une bonne illustration. L'ornementation se limitait au dessin de l'étoffe et à la forme générale, avec le parement des manches en raquette et les plis du dos formés de lés simplement assemblés aux lisières.

LA ROBE À LA FRANÇAISE

L'évolution vers la robe à la française (*ill. 30 c et d, ill. 33 a et c*) se caractérise par une diminution de l'ampleur – le panier prend une forme ovale, le corsage est ajusté devant et sur les côtés, les plis

28. Pièce d'estomac, taffetas brodé, soie polychrome et métal, Italie, vers 1740. La pièce d'estomac sert à masquer le corps baleiné, elle est placée entre le décolleté et la taille. Le décor oppose un dessin brodé métal en relief, de style rococo, et un dessin en soie polychrome asymétrique, qui conserve l'inspiration naturaliste du XVIIe siècle. Le papillon est réalisé avec une certaine maladresse, ce qui était fréquent en broderie.

du dos sont plus étroits – et par l'ouverture complète du manteau dont les pans reçoivent un décor rapporté, continu, d'abord taillé dans la même étoffe que la robe et simplement bouillonné. Les manches ne sont plus en raquette, mais évasées en pagode, le dernier volant, plus ample, souvent maintenu ouvert par deux ou trois disques de plomb ; elles se portaient avec des volants de dentelle ou engageantes. La jupe, plus ou moins apparente dans l'ouverture du manteau est ornée suivant le même parti, mais avec une disposition en bandes horizontales et limitée à ce qui est visible. En haut, le corps à baleines était masqué par une pièce d'estomac triangulaire, ou par une échelle de rubans. Cette robe va symboliser les modes de l'Ancien Régime et sera opposée à celles des merveilleuses dans une célèbre caricature.

LA ROBE À LA POLONAISE ET LA ROBE À L'ANGLAISE

La robe à la française se maintint sous diverses formes jusqu'à la fin du règne de Louis XVI, mais devint comme le grand habit une tenue d'apparat (*ill. 33 a*) et fut concurrencée à partir des années 1772-1774 par les robes à la polonaise, à l'anglaise, et par leurs nombreuses variantes qu'accompagne l'essor de la gravure de mode.

Dans l'un et l'autre cas, le dos est sans plis. Le manteau de la robe à la polonaise, ouvert devant, se portait retroussé en trois lobes, et a de ce fait une coupe arrondie en bas, l'ornementation se poursuivant au bas du dos. Devenu entièrement visible, le bas de la jupe reçoit également un décor continu bien différent du décor des jupes de robes à la française.

Dès le début du siècle, l'anglomanie est liée à l'attrait philosophique et politique de la monarchie constitutionnelle. Elle se manifesta dans le domaine de la mode masculine et féminine par des

29. Devant de jupe pour robe à l'anglaise, trois lés de taffetas uni brodé, vers 1787. Broderie de soie polychrome et de chenille, application de satin et de taffetas, perles en verre blanc opaque, ajours avec application de tulle, bouillonnés de mousseline de soie, passementerie imitant un travail de paille. Cette jupe était constituée par l'assemblage de lés cousus aux lisières. Le décor est limité au devant. Le haut est rabattu pour former une coulisse destinée à ajuster la jupe à la taille par des plis multiples. Les fentes latérales correspondaient à des fentes similaires dans le manteau de robe et donnaient accès aux poches formées par les demi-paniers en toile portés à la taille.

30. Robes volantes et robes à la française. 30 a. *Robe volante, lampas à décor de dentelle, fond satin, liseré, broché soie polychrome et métal, vers 1725.*
La robe est inachevée, non fermée devant, les lisières non rabattues. Les manches sont en raquette.
30 b. *Robe volante, lampas fond satin, liseré, vers 1735.* La robe est fermée devant à partir de la taille.
Elle pouvait se porter sans pièce d'estomac, les parements ajustés devant, ou légèrement croisés comme ici. Les manches sont en raquette.

30 c. Robe à la française, damas bicolore, vers 1740 (mannequinée avec une pièce d'estomac d'époque voisine en lampas à fond taffetas).
Les manches sont en pagode, à deux volants. L'ouverture du manteau est bordée sur toute sa hauteur d'une bande froncée taillée dans le même tissu.
30 d. Robe à la française, damas broché soie polychrome et métal, vers 1740. De dos, la robe à la française reste très voisine de la robe volante.
Elle en diffère par l'encolure, où se poursuit le décor des parements du devant.

31. Corps fermé devant, baleiné, piqué, taffetas façonné moiré, garniture de rubans rouges et de vélin, matelassage à l'intérieur avec doublure en toile imprimée à la planche de bois, vers 1770. Ajusté par un laçage dans le dos, ce corps est particulièrement soigné, entièrement baleiné, la structure soulignée par la couleur du fil utilisé pour les piqûres et les rubans de garniture. Le souci de suivre la mode apparaît dans le choix des étoffes, une soierie façonnée à petit rapport de dessin, moirée, et une toile imprimée pour la doublure, voisine des productions de Jouy en 1766.

tenues plus simples, mieux adaptées aux exigences de la vie quotidienne. La robe à l'anglaise (*ill. 33 b*) se porte sans panier. Le corsage du manteau de robe, ajusté, baleiné, avec une longue pointe au bas du dos, qui met en valeur la finesse de la taille, supprime l'usage du corps à baleines, et les manches n'ont plus de volants. La jupe du manteau est froncée puis cousue au corsage suivant une ligne qui remonte sur les hanches vers la taille. Mais devant, le manteau est encore ouvert sur une jupe, et l'ornementation suit le même parti général que celui d'une robe à la française.

Pour la chasse, on choisit des tenues moins fragiles, dérivées du costume masculin. Il s'agit d'un casaquin coupé sur le modèle du justaucorps, raccourci et adapté, qui se portait avec une jupe. Comme coiffure, les femmes adoptent le tricorne.

Les tenues pour la campagne (*ill. 17*) font une large place au piqué, pour l'hiver, ou aux toiles imprimées, pour l'été. La jupe se porte cette fois avec un caraco, forme raccourcie du manteau de l'un ou l'autre des types de robes mentionnés plus haut. Les basques peuvent prendre alors des formes très diverses, comme la queue en écrevisse de deux caracos rayés de la collection. Il en est de même pour la fermeture du devant, où la pièce d'estomac est remplacée par des compères, comme sur certaines robes à la française ou à l'anglaise, ou par plusieurs pattes.

Un casaquin combine ces deux sources d'inspiration : il a le tissu – un taffetas au dessin polychrome broché sur fond rose – et les manches en raquette d'une robe volante, mais aussi les basques et les pattes en accolade des poches d'un justaucorps.

L'ART DU TAILLEUR

Avant la suppression des maîtrises et jurandes sous la Révolution en mars 1791, la production des vêtements était partagée entre plusieurs communautés. Les tailleurs formaient la plus nombreuse de toutes. Leur activité avait été restreinte par la création de la communauté des couturières en 1675, mais la fabrication des corps baleinés et des paniers demeura disputée entre tailleurs et couturières jusqu'à l'égalité de droits imposée par lettres patentes en 1781. Les agréments (*ill. 33 a*) appartenaient aux marchandes de modes, dont la plus connue est Rose Bertin, très en faveur auprès de Marie-Antoinette. Son ambition sociale et sa position à la cour, sa célébrité dans toute l'Europe où ses modèles étaient diffusés, en font un des précurseurs des maisons de haute couture.

32. Panier, fer gainé de cuir, rubans en toile rayée, vers 1760. Ce panier se portait ajusté à la taille par les deux paires de liens dont on voit les extrémités libres. L'ampleur sur les hanches était donnée de chaque côté par les trois arceaux métalliques à espacement fixe, déterminé par les rubans, et articulés sur des rivets de façon à pouvoir être relevés instantanément selon les nécessités du moment, pour franchir une porte étroite, prendre place dans une voiture ou une chaise à porteurs.

33. Robes à la française et robe à l'anglaise. 33 a. *Robe à la française, pékin rayé, vers 1775.* Robe d'apparat, avec des applications de gaze.
agréments qui étaient l'œuvre d'une marchande de modes. 33 b. *Robe à l'anglaise, pékin rayé, dessin par la trame, vers 1780-1785.*
Les plis du dos font place à un corsage ajusté. baleiné. la jupe est montée par des fronces cousues au corsage.
33 c. *Robe à la française, taffetas chiné à la branche à grand dessin, vers 1760.* Robe d'été. en étoffe légère, au corsage fermé par des compères.

34 a. *Lé de satin broché, dessin à disposition pour veste sans manches ou à manches sans parement, vers 1765. Le côté droit est en une seule partie, le gauche, en deux parties : en bas, les pattes des poches. La bordure imite un galon, complété d'un rameau fleuri noué par un ruban à décor de peau de panthère qui reprend sur un petit rapport le principe du décor à méandres de fourrure des grands façonnés pour robes. La disposition orthogonale du semis de fleurs, à droite, résulte de la combinaison de deux semis à disposition losangée. 34 b. Lé de velours liseré, broché à disposition pour gilet, vers 1785. Le gilet, sans col, a la forme courte et évasée de l'époque. La broderie ample, en soie polychrome, recherche les aplats et s'inspire en partie de fleurs réelles recombinées. Brodées à part, les pattes des poches ont été découpées et mises en place.*

Le lé de la veste en pièces, en satin rouge, à dessin tissé à disposition (*ill. 34 a*), met en évidence deux particularités des vestes portant ce type de décor. L'interruption de la bordure tissée à l'encolure (*ill. 42 a*) laisserait supposer un raccourcissement par le haut, alors qu'en fait le dessin de la bordure se prêtait à une coupe sur mesure grâce à l'absence d'un motif en retour vers les épaules comme en eurent plus tard les gilets (*ill. 34 b et 42 g*). Ces vestes présentent aussi une couture à la hauteur des poches, mais d'un seul côté. En fait, la largeur du lé interdisait de tisser simultanément les deux côtés de la veste sur toute leur hauteur en raison de la coupe oblique des basques : l'un des côtés devait être fait par assemblage.

Les habits, les vestes ou les gilets en pièces (*ill. 34 a*) permettent de comprendre les principes de coupe et de montage. Il s'agit de vêtements au dessin « à disposition », c'est-à-dire conçu de façon à s'adapter aux contours exacts et aux dimensions de la pièce de costume à tailler, et placé de façon à économiser l'étoffe. C'est le décor du lé qui guide la coupe des pièces principales et des éléments à rapporter, disposés à part sur le lé : boutons, pattes ou parements des poches, plis des basques, col et revers éventuels.

35. *Album d'échantillons de matériaux métalliques, reliure à rabat en vélin vert, vers 1770. Fol. 19 verso : « découpures », « mouches », « perles », « paillettes » collées. Recueil de boutonnier-passementier pour les commandes de fournitures par des brodeurs. Il ne contient que des fournitures métalliques. L'emploi du métal verni coloré est très en vogue en broderie, dès la fin du règne de Louis XV, sur toutes sortes d'ouvrages, vêtements masculins ou féminins, boutons d'habit ou de gilet, sacs, porte-feuilles...*

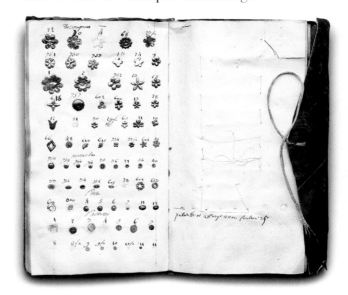

Nombre de vêtements ont été modifiés pour suivre la mode ou pour des soirées costumées, comme le montre la collection de vestes et de gilets du XVIIIᵉ siècle (*ill. 42*), avec ses pièces demeurées intactes et ses pièces remaniées.

L'ART DU BRODEUR

Il peut être surprenant de voir qu'au XVIIIᵉ siècle la broderie est presque cantonnée au domaine masculin, habits à la française ou ornements liturgiques. La corporation est celle des brodeurs-chasubliers, et les planches de l'*Art du brodeur*, de Charles-Germain de Saint-Aubin, paru en 1770 sous l'égide de l'Académie des sciences, hormis un caparaçon et une housse de cheval, ne présentent que des ornements liturgiques – chasuble, étole, manipule, bourse, voile de calice, dalmatique, chape et mitre – et neuf bordures d'habits, à l'exclusion de toute broderie pour robe.

L'ornement des robes est surtout fait de plis et bouillonnés, de volants ou « falbalas » et autres agréments taillés dans le même tissu, puis dans d'autres matières, comme la gaze sous Louis XVI (*ill. 33 a*), complétés de passementeries diverses. Cependant, il existait des broderies pour le vêtement féminin, comme en témoignent les pièces d'estomac de la collection et le devant de jupe de la fin de l'époque Louis XVI (*ill. 28 et 29*).

Des échantillons de broderie pour habits ou gilets servaient de référence à des commandes, et des volumes entiers de la collection Galais présentent une importante collection de dessins pour broderie, attribués à Jean-François Bony. Dessinateur et brodeur attaché à la fabrique de Lyon, Bony travailla aussi sous le Premier Empire. À l'époque de Louis XVI, ce sont surtout des dessins pour gilet ou pour habit, dont de remarquables bordures florales.

Le dessinateur pour les fabriques d'étoffes d'or, d'argent et de soie

La première théorie du dessin textile est celle de Joubert de l'Hiberderie, Le dessinateur pour les fabriques d'étoffe d'or, d'argent et de soie, *publiée à Paris en 1765. La bibliothèque des Arts décoratifs en possède une édition de 1774.*

Le travail du dessinateur pour soieries façonnées au XVIIIᵉ siècle est représenté par la collection Galais, comprenant environ 5 000 dessins et 398 mises en carte. Elle fut rassemblée au XIXᵉ siècle par Galais (1811-1890), dessinateur pour les fabriques de Tours dès 1830, et contient des dessins lyonnais et des dessins tourangeaux. Elle réunit la collection constituée par Ravenot père, professeur de dessin de la ville de Tours, celle de Guillou, dessinateur à Tours d'origine lyonnaise, et des dessins provenant d'anciens fabricants de Tours. On y trouve les différentes étapes du travail du dessinateur pour soieries, de simples études de fleurs, des dessins tracés à la pointe sèche ou à la plume sur papier verni, et souvent gouachés dans des couleurs conventionnelles, puis des mises en carte, ultime travail graphique avant la préparation du métier à tisser. L'ensemble contient aussi plusieurs volumes de dessins pour broderies : Joubert de l'Hiberderie conseillait au dessinateur pour soieries de s'inspirer du travail des brodeurs, notamment pour les bordures d'habit.

Le dessin pour étoffes façonnées relève de deux catégories bien distinctes. Soit le dessin se répète de façon indifférenciée sur toute la longueur de la pièce tissée, soit il anticipe sur la coupe en s'adaptant au vêtement à produire, suivant le principe du dessin à disposition (Joubert de l'Hiberderie parle du genre « des habits à bordure ») que l'on retrouve au XIXᵉ siècle pour la mode féminine ou dans la fabrication des ornements liturgiques.

Le dessin pour soieries façonnées se rapproche ici du dessin pour broderie, généralement conçu suivant les contours du vêtement à produire, et du dessin pour dentelle, où la matière du vêtement et le décor ne font qu'un.

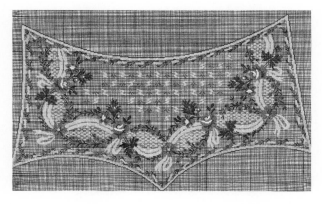

36. *Fragment de mise en carte pour habit tissé à disposition, Lyon, vers 1780. Patte de poche. Chacune des cases de la mise en carte correspond à une commande agissant sur un groupe de fils de chaîne (ou découpure) pendant le passage de la trame. C'est l'unité minimale du dessin.*

37. *Recueil d'empreintes pour toile imprimée à la planche de bois, Jouy,*
manufacture d'Oberkampf, 1766, 359 folios, fol. 229.
Registre de fabrication. Le dessin à méandre s'inspire des soieries
façonnées. Le méandre est imprimé en rouge, le reste du dessin,
branche fleurie et motifs isolés, en noir.
On reconnaît un paon de jour en bas à droite.

38. *L'Abreuvoir, toile pour ameublement imprimée à la planche*
de cuivre, manufacture d'Oberkampf à Jouy,
dessin par Jean-Baptiste Huet, 1790, pièce imprimée entre 1792,
selon le chef de pièce, et 1815, année de la mort d'Oberkampf.

39. *Lampas fond taffetas, broché soie polychrome, chenille et métal,*
France, vers 1760. Le dessin à deux chemins suivis fait de ce lampas
une étoffe pour robe. Le décor à méandres abandonne les fleurs
et n'est plus que fourrures, thème très en vogue en France à cette époque
dans le décor des soieries façonnées. Le fond était entièrement argent.

SOIERIES ET INDIENNES

Le XVIIIe siècle est considéré comme l'âge d'or de la soierie française, soutenue par les fastes de la clientèle de la cour et servie par le perfectionnement des métiers à tisser ainsi que par l'essor du moirage, à quoi contribua Jacques de Vaucanson (1709-1782). La société cultivée de l'époque des Lumières faisait grand cas des techniques, comme en témoignent l'*Encyclopédie* de Diderot et la *Description des arts et métiers* publiée sous l'égide de l'Académie des sciences.

Il y eut au début du siècle les étoffes à dessin « bizarre », puis dans les années 1720 à 1730, les étoffes à décor de dentelle, suivies des recherches de Jean Revel (1684-1751) pour traduire par des demi-teintes le volume des fleurs, des fruits et des architectures. Au milieu du siècle dominent les méandres, qui deviennent, sous Louis XVI, de simples rayures avec de petits motifs. Les étoffes d'ameublement à très grand rapport de dessin prennent alors le relais de la mode féminine dans les commandes royales.

La réputation des soieries de Lyon ne doit pas faire oublier l'importance de la production tourangelle ni celle de la région parisienne, où la communauté des fabricants d'étoffes d'or comptait 318 maîtres, selon l'édition de 1770 du *Dictionnaire du commerce* de Savary des Bruslons.

Dans l'immense variété de la production française au XVIIIe siècle, les costumes féminins des collections du musée mettent en évidence les lampas des robes volantes, les damas, le gros de Tours, le taffetas chiné à la branche des robes à la française, ou encore les pékins rayés à dessin façonné des robes à la française ou à l'anglaise. Pour la mode masculine, ce sont des lampas à fond or (vestes, *ill. 42 h*), des droguets liserés (*ill. 26 a*), des velours lamés, des tissus rayés (habits, redingotes).

Un édit royal de 1686 avait interdit l'importation et la fabrication des toiles de coton peintes ou imprimées appelées « indiennes », introduites en France dès le début du siècle et dont la vogue ne cessait de grandir, menaçant la position des fabricants français

Coquetterie masculine : les boutons

Il suffit d'un coup d'œil sur la devanture d'un marchand de boutons pour se rendre compte que de nos jours la création dans ce domaine vise avant tout la mode féminine. Il n'en était pas de même au XVIIIᵉ siècle, où les boutons n'étaient utilisés pour les tenues féminines que lorsqu'elles s'inspiraient du costume masculin. Revêtus de l'étoffe dans laquelle étaient taillés le caraco ou la robe, ils restaient peu apparents et servaient en général à fermer le devant du corsage, formé de compères ou de pattes, et dans ce cas, ils se trouvaient en concurrence avec des boucles à ardillon. Les fermetures réglables se faisaient plutôt par des œillets de laçage (corps baleinés, ajustement de la largeur du dos des robes à la française) ou par de simples coulisses complétées de liens à nouer (ill. 29).

Parues en 1763, les planches de l'art du « Boutonnier » de l'Encyclopédie de Diderot ne font état que de boutons destinés à la mode masculine avec une telle évidence que leur emploi n'en est même pas précisé.

Les boutons reproduits ici sont en place, de façon à faire apparaître la relation entre le bouton, le vêtement, le tissu et l'ornementation. Ce sont des boutons de justaucorps ou d'habit pour les six premiers, de gilets pour les derniers. Les deux premiers montrent l'application de plusieurs techniques de passementerie, sans rapport avec le tissu du vêtement : lame ou feuille de métal, paillettes, cannetille. Le troisième est un travail de broderie assortie à celle de l'habit. Les trois boutons suivants, de l'époque révolutionnaire, relèvent de la technique du métal et de l'orfèvrerie et ne se marient au vêtement que par contraste, apportant un décor au moment où la mode masculine, si ce n'est pour les gilets, abandonne le décor tissé à disposition, ou brodé, pour de simples rayures ou pour des étoffes unies.

Les boutons de veste ou de gilet sont plus petits que ceux des habits. Le choix présenté ici montre les principales techniques du décor à disposition (qui inclut les boutons, ill.34 b) tissé, imprimé ou brodé, ainsi que la concordance ou la contradiction de ce décor avec les boutonnières. Ils illustrent aussi la défaite finale des boutonniers-passementiers dans la longue dispute qui les opposa aux tailleurs de 1694 à 1751, les premiers tentant de faire prohiber en leur faveur « l'usage qui s'est introduit depuis peu de temps de porter des boutons de la même étoffe des habits » (attendus des lettres patentes du 25 septembre 1694).

40. *Les boutons.*

40 a. Bouton revêtu de lames métalliques ornées, avec cannetille au centre, vers 1750-1760. Bouton « à six croix », simulant un boutonnage des pattes des poches. Le « bouton à filigrame » est décrit dans l'*Encyclopédie* de Diderot, où l'on précise que le procédé est « de l'invention de M. Pierre Bergerot », boutonnier parisien.

40 b. Bouton revêtu d'une feuille de métal matricée 4, dorée ou à vernis rouge, paillettes, cannetille or mate (trait) ou brillante (lame), vers 1765-1775. Bouton placé au bas des plis latéraux de l'habit.

40 c. Bouton revêtu du tissu de l'habit et à broderie assortie, soie, paillettes en miroir, vers 1785-1790. Bouton placé en haut de l'un des plis des basques.

40 d. Bouton en métal émaillé, fond bleu, dessin blanc ou limité à un cerne en paillon or, vers 1790. Technique d'orfèvrerie.

40 e. Bouton en cuivre ciselé au poinçon ou estampé, vers 1790. Technique du métal.

40 f. Bouton en acier taillé, imitant la taille à facettes des boutons ornés de strass, vers 1795. Emprunt à la bijouterie.

40 g. Boutons à décor tissé à disposition, pékin changeant broché filé argent et trame soie polychrome (bleue pour les boutons), vers 1785-1790.

40 h. Boutons à décor imprimé à disposition sur toile, vers 1780.

40 i. Boutons à décor brodé au point de Beauvais, vers 1770-1780. Taffetas à grosse trame.

a	b	c
d	e	f
g	h	i

41. *Les sablés.* Les objets s'échelonnent de la fin du XVIIᵉ siècle aux années 1780. Le décor peut être géométrique (les petits objets), à dessin floral (le couteau et la fourchette), dérivé du dessin d'ornement (le sac à décor rocaille), en relation avec la fonction des objets (la palle, le chapelet), l'actualité (la montgolfière), l'intention du don (la reliure avec l'inscription : « Vous avez l'une et l'autre », la châtelaine avec une dame de qualité). Il peut aussi représenter des thèmes historiés : Junon avec le paon, homme et femme de qualité, berger et bergère, chasse au cerf.

d'étoffes de soie, d'or et d'argent. Au siècle suivant, en 1759, après des interdictions sans cesse répétées et de violentes polémiques, les entraves à la production de toiles imprimées furent enfin levées. Des costumes féminins, à fond blanc ou foncé (*ill. 17 a, c*), des morceaux de toiles imprimées pour robes, un rare gilet d'homme à dessin à disposition des années 1770, et des toiles imprimées, à décor historié, destinées à l'ameublement, témoignent de ce renouveau. Certaines de ces toiles comportent un chef de pièce (*ill. 38*), marque qui joue dans ce type de production un rôle de contrôle et d'information voisin de celui des poinçons en orfèvrerie. D'autres étoffes, plus grossières, doublent des corps, des caracos, ou des corsages de robes.

Des pièces de la collection, d'importance majeure, proviennent de la manufacture que Christophe-Philippe Oberkampf créa en 1760, à Jouy-en-Josas, rendant célèbre dans le monde entier la toile de Jouy. La manufacture poursuivit son activité jusqu'en 1843, date à laquelle elle dut fermer ses portes, affaiblie par la fin du blocus continental, décrété en 1806. Le recueil le plus intéressant est un registre de fabrication de l'année 1766, pour impression à la planche de bois (dessin floral pour robes, *ill. 37*). Il comporte une empreinte au recto de chaque folio, et des mentions manuscrites, techniques et commerciales : dimensions de la planche qui donne le tracé général du dessin, souvent imprimé en noir, nombre de rentrures (une par couleur imprimée), détail d'autres couleurs à passer au pinceau, toiles à utiliser ; dates et nombre de pièces. Seuls le noir et le rouge, imprimés, apparaissent ; les autres couleurs ne sont que mentionnées, ce qui donne un aspect uniforme au recueil.

Pour les sujets historiés imprimés à la planche de cuivre et destinés à l'ameublement, les dessins et empreintes sont conservés en majeure partie au cabinet des Dessins du musée des Arts décoratifs, notamment ceux de Jean-Baptiste Huet (1745-1811) pour la manufacture d'Oberkampf (don Barbet de Jouy, 1896).

OBJETS DE MODE : LES SABLÉS

Une centaine d'objets revêtus de sablé (*ill. 41*) font appel à cette technique encore mal connue, bien que très en vogue au XVIIIe siècle en France. Le décor de ces objets est formé de très petites perles de verre de couleurs diverses, disposées régulièrement en quinconce, avec des points de soie polychrome ou des rehauts peints. Le dessin préparatoire devait s'apparenter à une mise en carte, les cases étant ici décalées en quinconce. L'examen à la loupe montre que les perles étaient enfilées sur autant de fils de soie que de lignes parallèles, celles-ci étaient reliées ensuite à l'aiguille par des boucles très serrées qui contournent les perles. L'ensemble prend l'apparence d'un tissu perlé, à peu près opaque, alors que cette fabrication relève de la réalisation d'un fond en dentelle à l'aiguille.

Cette technique était utilisée en général pour de petits objets destinés à être offerts. Le décor s'inspirait d'événements comme l'apparition des ballons aérostatiques à partir de 1783, ou, suivant les caprices du goût, présentait des rébus : quand une reliure porte trois fleurs dans un pot en forme de cœur et l'inscription : « Vous avez l'une et l'autre », il faut comprendre : « Vous avez ma pensée et mon cœur » et interpréter les fleurs comme des pensées.

Sur l'illustration 41, on peut voir à gauche, du fond au premier plan,

— une bourse plate : gentilhomme avec canne et épée, un chien symbole de fidélité, des nuages (zéphyr, messager), des oiseaux (même thème) ;

— une châtelaine : dame de qualité coiffée d'un bonnet à la Fontanges, un bouquet de fleurs dans une main (pensées), un cœur dans l'autre et deux oiseaux ;

— un sac : fleurs stylisées, décor rocaille en camaïeu brun et jaune ;

— une palle (la palle est le linge carré qui recouvre le calice) : adoration du Saint-Sacrement et du Sacré-Cœur de Jésus, des oiseaux tiennent un cœur dans leur bec ;

— un chapelet : croix latine avec trois gros grains portant respectivement les inscriptions : IESVS, MARIA, IOSEPH ;

42. La Révolution. 42 a. *Veste sans manches, gros de Tours liseré, broché soie polychrome et métal, vers 1750. Tissage à disposition. sans retour de la bordure à l'encolure.*
42 b. *Gilet, satin crème, broderie de soie polychrome au point de Beauvais, vers 1775-1780. 42 c. Gilet, lampas fond satin, liseré, lancé, 1787.*
Gilet de forme droite. tissé à disposition et historié. 42 d. Gilet, taffetas écru, broderie de soie polychrome, vers 1795.
Gilet de forme droite. courte. Le décor associe un double semis de motifs à disposition losangée et une bordure à médaillons obliques ornés de fruits.

42 e. *Gilet, taffetas, broderie au point de Beauvais, garniture en effilé polychrome, vers 1790.* Gilet de forme droite, poches à revers, col à échancrure et revers.
42 f. *Gilet, pékin changeant, rayé, vers 1785-1790.* Gilet de forme droite, avec poches à revers, tissé à disposition avec retour de la bordure à l'encolure.
42 g. *Gilet, petit façonné lamé, vers 1760-1770.* La broderie s'évase à l'encolure. Le métal verni coloré, vert, bleu ou rouge, est noté comme un procédé récent dans l'*Art du brodeur*. 42 h. *Veste, lampas fond gros de Tours, lancé, broché, dos et manches en sergé composé, vers 1740.* Le décor est limité au façonné.

Puis à droite, du premier plan vers le fond,

– de petits objets à décor géométrique : un étui à aiguilles, deux flacons à sels ou à parfum ;

– un flacon plat à sels ou à parfum : un perroquet vert sur un perchoir ; sur l'autre face, une femme de profil tient un cœur ou une pensée devant un chien qui fait le beau ;

– un pendentif avec une monture en bronze argenté taillé à facettes imitant du strass, le médaillon est revêtu de sablé : un chien (symbole de fidélité) sous un arbre, un oiseau en vol (messager) ;

– un couteau et une fourchette ;

– une petite boîte en forme de goutte à décor de montgolfière, 1783-1790 ;

– un flacon à sels ou à parfum, en forme de bouteille : décor en deux registres avec un chien poursuivant un cerf en bas, trois lièvres en haut, un oiseau et un papillon sur le col ;

– un boîtier de montre : un homme en justaucorps joue de la flûte, trois chiens, oiseau, papillon. Est-ce un berger ou Orphée ?

– une clé de montre : un oiseau passant d'un côté, des fleurs de l'autre ;

– une reliure d'almanach : les plats sont semblables, avec un rinceau en bordure et au centre trois pensées naissant d'un cœur, avec l'inscription : « VOVS AVE LVNE ET LAVTRE », « Vous avez l'une et l'autre, [ma pensée et mon cœur] » ;

– une boîte ronde : sur le couvercle, Junon est assise, le paon fait la roue ; en haut le soleil, deux oiseaux volant, et un gros papillon à ocelles très stylisé ;

– un coffret : Junon et son paon sur les nuées, avec l'aigle de Jupiter ; à droite, sur la terre, peut-être Cérès, ou une mortelle.

LA RÉVOLUTION ET LA MODE

Avec la Révolution de 1789, l'habillement tend à se simplifier davantage, suivant par là l'anglomanie. Le costume féminin avait déjà abandonné les soieries façonnées à grand rapport de dessin au profit des pékins rayés. Les jupes restent très amples, les robes dérivées de la robe en chemise s'imposent plus largement, avec des manches longues et étroites qui descendent jusqu'aux poignets.

Dans la mode masculine, le velours à dessin miniature, qui avait lui-même remplacé le droguet liséré du milieu du siècle, reculait devant les tissus rayés. L'habit tricolore (*ill. 27 d*), emblématique de la Révolution, en est un bel exemple. Les rayures sont aux couleurs de la nation, le col rabattu et les revers boutonnés sont des emprunts aux redingotes anglaises ou à l'uniforme militaire de la réforme de 1779. Une des innovations importantes est l'abandon, dans les milieux populaires, de la culotte au profit du pantalon, à l'origine de l'appellation de sans-culottes. Il se portait avec une veste courte, la carmagnole, et un bonnet rouge ou un chapeau rond à cocarde.

Une autre pièce exceptionnelle est un habit noir en tricot de laine à boutons revêtus et à décor de brandebourgs en passementerie. Il rappelle la tenue noire prescrite par le protocole du marquis de Dreux-Brézé aux députés du Tiers État pour la réunion des États généraux.

La broderie n'est présente que sur les tenues d'apparat (*ill. 27 c*), hormis lesquelles, le décor se résume aux boutons, quand ils ne sont pas simplement revêtus du tissu dans lequel est taillé l'habit.

La forme la plus nouvelle de l'habit masculin est l'habit dégagé, dont on peut voir un très bel exemple en drap de laine brun rouille (*ill. 27 f*), aux grands boutons sertis de cuivre à décor peint sur verre. Il dérive de l'habit à la française, mais le devant est coupé horizontalement au bas de la poitrine, le col est rabattu comme celui du frac ou de la redingote (*ill. 27 e*) et se complète de revers en pointe qui seront reproduits sur les gilets.

Cette mode se poursuivit, à la ville, sous le Consulat et l'Empire. Elle concurrença le renouveau à la cour de l'habit à la française, où revint, très courte, la forme du gilet de la première moitié du règne de Louis XVI.

VESTES ET GILETS

La collection de vestes et de gilets (*ill. 42*) illustre les propos de Sénac de Meilhan dans *L'Émigré*, roman par lettres publié en 1797 : « Un homme éclairé, frappé du spectacle que lui présentait la confusion des rangs et la suppression de la pompe extérieure attachée à certains états, disait, quelques années avant la Révolution : "Je crois voir la monarchie décroître à mesure que les vestes raccourcissent et se changent en gilets". »

Ample au début du siècle, droite devant, la veste raccourcit, le parement des manches cesse de se rabattre pour se réduire au peu qui apparaît lorsque l'on porte le justaucorps (*ill. 42 h*), la forme s'évase légèrement, au-dessous de la taille où s'interrompt le boutonnage (*ill. 42 a*).

Passé le milieu du siècle, les manches tendent à disparaître, mais elles sont encore partout présentes sur les planches du « Tailleur d'habits » de l'*Encyclopédie*, parues en 1771, et où seul le terme « veste » est employé. Le bas s'évase de plus en plus, les basques raccourcissent (*ill. 42 b*), et le décor du devant, tissé, brodé, ou très exceptionnellement imprimé,

forme retour vers les côtés à l'encolure (*ill. 42 g*).

Dans les années 1780 reparaît une forme droite, mais courte, avec un col montant d'abord sans revers (*ill. 42 f*). Le boutonnage se fait de nouveau jusqu'en bas ; des revers remplacent les pattes des poches ; la pointe des basques sur les hanches disparaît dans une coupe devenue rectangulaire, ce qui modifie complètement la disposition des pièces lors de la broderie ou du tissage. Désormais symétriquement juxtaposés, les deux côtés du devant tenaient dans la largeur du lé : en général au XVIIIe siècle, les soieries façonnées se tissaient en 49 à 54 centimètres de largeur. En accord avec cette forme droite, le semis du fond tendit à se prêter aussi à une lecture orthogonale (*ill. 42 d*) ou même à céder la place à un dessin ordonné en lignes verticales de hauteur décroissante vers les côtés (*ill. 42 e*).

La collection comprend un gilet illustré sur le thème de *Tarare*, opéra de Salieri sur un livret de Beaumarchais, donné en 1787 (*ill. 42 c*) : comme les toiles imprimées destinées à l'ameublement, l'ornementation des gilets s'inspire de l'actualité politique, littéraire ou musicale du règne de Louis XVI et de la Révolution.

43. Paire de chaussures de femme, bois (hêtre ?) et cuir, pointe revêtue de satin brodé de soie rouge, à broderie en relief cernée d'ondé rouge et au point de nœud, France ou Italie, vers 1630. Le ruban vert n'est pas le ruban d'origine. La fermeture se fait par un bouton ovale avec un camée monochrome serti, représentant un buste d'homme sur une chaussure, un buste de femme sur l'autre.

LE XIXE SIÈCLE
1795-1914

44. *Échantillon de lainage façonné pour gilet d'homme provenant de l'album de la fabrique Croco, 1855, « Premier dessin napoléonien/Gilets à sujets ».*

Entre 1795 et 1914, la silhouette féminine subit d'importantes transformations, dont l'évolution va s'accélérant à partir de 1870 pour aboutir aux nombreuses fluctuations du XXᵉ siècle. Cinq étapes principales scandent l'histoire de la mode.

De 1795 à 1820, la robe « à l'antique » signe l'abandon temporaire de toute armature sous-jacente : la ligne s'allonge et la taille est placée haut sous la poitrine.

Entre 1820 et 1845, apparaît la « taille de guêpe » prise dans un corset baleiné, qui met en valeur des manches volumineuses aux formes variées et une jupe en cloche. L'usage du corset perdurera jusqu'à la Première Guerre mondiale, évoluant au gré des canons esthétiques en vigueur.

Les années 1845 à 1869 marquent le triomphe de la crinoline : ce jupon tramé de crin à l'origine soutient des jupes rondes à volants, puis se transforme à partir de 1856 en une cage métallique ovoïde, qui rejette l'ampleur des robes vers l'arrière.

De 1870 à 1889, la tournure, sorte de demi-crinoline-jupon réduite par la suite à une demi-coque métallique articulée, met en valeur la chute des reins en conférant au séant un volume majestueux et imposant.

Enfin, à partir de 1890, les lignes de la silhouette se simplifient, soulignées par le seul corset qui est en forme de sablier. Vers 1910, les robes à taille haute inspirées par celles du Directoire sont remises à la mode, montées sur de petites ceintures baleinées. Le couturier Paul Poiret

Sylvie
Legrand

est le premier à inciter ses clientes à les porter sans corset-gaine. Rares sont les robes sans aucune armature interne avant 1914, œuvre d'avant-garde où s'illustre un créateur comme Mariano Fortuny.

Les progrès du machinisme dans les domaines de l'industrie textile et de la confection de série sont au cœur du processus de « démocratisation » du luxe, qui caractérise l'histoire de la mode au XIXᵉ siècle : la diminution des coûts de production engendre une baisse des prix qui se traduit par un élargissement de la clientèle. Joseph-Marie Jacquard présente à Paris en 1801 la mécanique qui porte son nom : grâce à un système d'aiguilles et de cartons perforés, actionnés automatiquement par le seul tisseur, la fabrication des étoffes façonnées ou à décor tissé est considérablement simplifiée. Le métier à mécanique Jacquard se diffuse en France à partir de 1820, non sans rencontrer des résistances. Vers 1830, apparaissent les premières machines à filer le lin et le coton. Les progrès réalisés en matière d'impression textile, et les découvertes de l'industrie chimique, aboutissent à la mise au point des colorants artificiels dans la seconde moitié du siècle, qui permettent d'obtenir des couleurs plus vives et plus solides. Enfin, les fibres artificielles cellulosiques, la rayonne notamment, concurrencent les fibres naturelles dès le début du XXᵉ siècle.

L'usage de la machine à coudre, brevetée par Barthélemy Thimonnier en 1830, se répand chez les couturières et les tailleurs à partir de 1860. Associée à l'essor remarquable de la presse de mode, qui reproduit les modèles en vogue sous forme de gravures coloriées, parfois accompagnées de patrons, elle contribue à une meilleure diffusion des nouveautés. Avec le développement de la confection de série et la création des magasins de nouveautés, puis celle des grands magasins vers 1870 – la construction du Bon Marché démarre en 1869 –, la production du vêtement devient industrielle. Pour réagir à cette uniformisation de l'habillement, apparaît une confection de luxe qui perpétue le « sur mesure » : la haute couture. Elle est l'œuvre d'un créateur, le couturier, qui signe ses réalisations de son nom : c'est la griffe du grand couturier.

Le XIXe siècle consacre aussi l'avènement de la bourgeoisie et de ses valeurs : ordre, épargne, mérite. Signes d'un nouvel ordre social qui rompt avec l'oisiveté et la somptuosité aristocratique, l'austérité et la couleur noire envahissent le vêtement masculin. Cet ascétisme se différencie pour la première fois totalement du paraître féminin : la femme, « enseigne de l'homme », affiche la réussite de son mari ou de son amant par la richesse de ses toilettes. La vie sociale et mondaine lui impose de multiples changements de parures au cours de la journée ou selon les circonstances, conformément aux impératifs de la bienséance consignés dans les nombreux manuels de savoir-vivre. La mode est aux robes à transformation, qui permettent d'assortir plusieurs corsages à une même jupe. À la fin du siècle, une clientèle nouvelle de cocottes et de comédiennes, que l'étalage du luxe n'effraie pas, deviennent les fidèles clientes et les égéries des grands couturiers de la Belle Époque.

La collection de costumes et d'accessoires du XIXe siècle rend compte du déséquilibre existant entre les sexes : avec plus de 900 robes de jour ou du soir, pour un total d'environ 500 pièces d'habillement masculin, la garde-robe féminine occupe la première place.

MODES FÉMININES « À L'ANTIQUE » ET COSTUMES D'APPARAT MASCULINS HÉRITÉS DE L'ANCIEN RÉGIME 1795-1820

LA RUPTURE DE 1795 : LA SILHOUETTE « À L'ANTIQUE »

En 1795, et pour la première fois depuis plus de deux siècles, les paniers et les corps baleinés disparaissent, victimes de l'engouement grandissant pour l'Antiquité grecque et romaine. Ce goût pour l'antique se traduit par l'adoption d'une silhouette longiligne, à taille haute. Les cotonnades sont choisies légères : mousseline ou linon, de préférence de couleur blanche. Elles n'ont plus rien de commun avec les riches soieries façonnées en vogue sous l'Ancien Régime. Deux robes de merveilleuses, ces femmes excentriques du Directoire, sont en mousseline blanche brodée au point de chaînette, l'une en soie multicolore à décor floral (*ill. 45 b*), l'autre en fils or et argent avec un effet de galon autour de la taille et de l'encolure. Un corselet intérieur en toile lacé devant soutient et masque la poitrine. Les manches longues descendent en « pattes de mitaine » jusqu'à la naissance des doigts. La découpe du dos en quartiers rappelle celle de certains caracos du XVIIIᵉ siècle.

MOUSSELINES BLANCHES ET BRODERIES FLORALES, SOUS LE CONSULAT ET L'EMPIRE 1799-1811

Sur une trentaine de robes de cette époque, une vingtaine sont en mousseline ou en linon blanc. La taille est haute, coulissée au dos, avec un décolleté carré ou arrondi également coulissé. Les manches ballon sont les plus fréquentes, mais quelques robes sont à bretelles. Les fines cotonnades, comme la mousseline, sont des produits de luxe importés en fraude de Grande-Bretagne après la mise en place du Blocus continental par Napoléon en 1806, qui interdit toute entrée dans l'Empire des produits britanniques. L'Angleterre est alors le seul pays à disposer à la fois du coton américain, qui est de première qualité, et d'un savoir-faire technique inégalé, en matière de filage notamment.

La broderie blanche en coton est à la mode et détrône la dentelle qui rappelle trop l'Ancien Régime. Après la Révolution, des ateliers se créent à Nancy, qui devient un centre important. On brode aux points de chaînette et de nœud, ainsi qu'au point lancé. Au répertoire néoclassique de grecques ou de palmettes se mêlent des fleurs et des fruits traités « au naturel », où l'on retrouve brin de

47. *Modèle de broderie pour bas de robe, d'après un dessin attribué à Jean-François Bony, vers 1805.*
Les fleurs ornementales se mêlent aux myosotis ;
la bordure est soulignée de galons noirs formant des médaillons
losangés et des entrelacs dérivés de la grecque.

muguet, rose, hortensia, mais aussi feuille de vigne et ananas. Le décor dit « à la reine Mathilde » est une bande verticale brodée sur le devant de la robe, qui se subdivise orthogonalement au bas pour suivre le bord de la traîne. Cette disposition rectiligne, très en vogue, aurait été inspirée par la tapisserie de Bayeux, exposée à Paris en 1803 au musée Napoléon (actuel musée du Louvre), à la demande de l'empereur qui préparait alors une expédition contre l'Angleterre à Boulogne-sur-Mer (*ill. 46*).

La broderie de couleur en soie ne diffère pas techniquement de celle du XVIIIe siècle, mais les motifs employés sont différents. Sur huit robes en soie, une robe « parée » en satin marron est brodée d'un magnifique décor multicolore de rinceaux et de bouquets « au naturel », avec application de paillettes et de tulle découpé en forme de coquilles de nautiles. Parmi les recueils, cinq albums de motifs pour broderies de robes, gouachés ou au trait, sont attribués au dessinateur de soieries Jean-François Bony, attaché à la Fabrique de Lyon. Un modèle de broderie sur mousseline a été exécuté d'après un dessin qui lui est également prêté, en soie multicolore avec paillettes et incrustations de tulle (*ill. 47*).

Les costumes de la cour de Napoléon, créés en 1804, relancent les industries de luxe paralysées par la Révolution. Les robes de cérémonie en soie ou en velours sont ornées de riches broderies métalliques. Vingt-trois modèles de broderies « pour l'impératrice Joséphine » présentent des décors de paillettes argent aux découpes variées, de perles nacrées et de chenille multicolore, qui figurent des rinceaux et des motifs floraux sur fond de taffetas moiré ou de velours. L'unique exemple de costume de cour de la collection, en satin blanc recouvert de gaze pailletée d'argent et garnitures de franges, est formé d'une robe à taille haute et d'un manteau à traîne arrondie qui s'agrafe sous la poitrine.

48. *Pochette à soufflets en résille métallique dorée, doublée de faille ivoire, vers 1815.*

UNE MODE PRÉROMANTIQUE
1812-1819

Aucune rupture sensible dans l'habillement ne marque la chute de l'Empire en 1814. Les robes blanches et légères sont toujours à la mode : onze robes de jour de la collection sont en percale, en linon ou en mousseline blanche, sur un total de seize. Mais la taille est marquée moins haut et des corsages intérieurs lacés apparaissent. Pour imiter les modes de la Renaissance, les manches sont agrémentées de crevés et de bouillonnés. Elles sont parfois surmontées de petites manches ballon ou d'épaulettes volantées appelées « jockeys ». La jupe s'évase, avec au bas des bourrelets, des volants ou des bouillonnés. Quelques emprunts sont faits au vestiaire masculin, comme le spencer, une veste courte et cintrée à très

49. *Robe et spencer en taffetas, à décor de passementerie, vers 1820.*
Cet ensemble de petite taille
est vraisemblablement destiné à une jeune fille.

Les albums de peluche de la collection Beauvais

Quarante-cinq albums d'échantillons de peluche provenant de la manufacture lyonnaise Beauvais Frères et Cie témoignent de l'originalité et de l'audace des recherches menées par ce fabricant de 1818 à 1820. La peluche ou « pluche » est un velours coupé à longs poils, utilisé comme doublure ou bordure de vêtement. La maison Beauvais crée des peluches « nouveauté » en soie : peluches unies, façonnées, coupées, bouclées ou frisées. Par son aspect comme par son toucher, l'imitation de la fourrure est remarquable ; elle est déclinée dans des nuances chinées ou ombrées, en bandes tachetées façon panthère, léopard ou ocelot, en longs poils chinchilla ou en poils frisés façon astrakan ; certains motifs dentelés ou ondulés sont presque abstraits. Les plumes de pintade ou la peluche-duvet sont aussi des imitations étonnantes. Plus courantes sont les peluches fantaisie, unies ou multicolores, aux teintes vives ou fades.

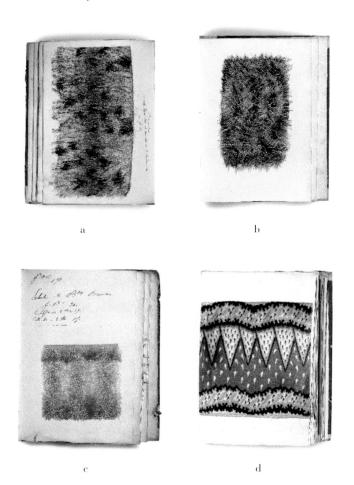

a   b

c   d

50. *Échantillons de peluche de soie, provenant des albums de la collection Beauvais, vers 1818-1820.*
50 a. *Album B et C, n° 12, « Peluches façonnées 1820 avec Patron/Pon 13 ».* Peluche chinée et imitation chinchilla. 50 b. *Album CB et C, n° 18, « Peluches ».* Peluche imitation pintade. 50 c. *Album CB et C, n° 17, « Peluches diverses, Pon 170 ».* Peluche ombrée et bouclée « fantaisie ». 50 d. *Album B et C, n° 10, « Peluches façonnées 1819 ».* Peluche façonnée à motifs dentelés.

longues manches. Les quatre exemples de la collection, datés entre 1800 et 1825, témoignent de la longévité de cette mode. Un bel ensemble en soie beige, vers 1820, se compose d'une robe à ceinture incrustée et garniture de bandes de satin au bas, et d'un spencer orné d'une remarquable passementerie de glands (*ill. 49*). La pelisse, très rare, est aussi un emprunt à la garde-robe masculine. C'est une robe-redingote fendue devant, dont l'unique exemple, vers 1815, est en sergé de soie beige broché de palmettes cachemire, motif à succès emprunté aux châles indiens. Quatre robes du soir sont en tulle ou en gaze, alors très appréciés, et deux robes de bal sont en tulle de soie brodé : l'une est ornée de lames or et argent, l'autre de broderies de perles nacrées et de rubans de satin blanc.

La disparition des poches intérieures de la robe, liée à la mode « à l'antique » adoptée en 1795, contraint les femmes à porter un sac à main. De petite dimension, il porte le nom de réticule, déformé par les contemporains en « ridicule ». Ces sacs suspendus à de courtes chaînes métalliques sont particulièrement originaux vers 1815-1820, comme celui en forme de vase antique, en carton repoussé recouvert de soie beige pailletée, ou la pochette rectangulaire à fermoir d'acier découpé, entièrement réalisée en maille métallique, qui lui est un peu antérieure (*ill. 48*).

CHÂLES DU CACHEMIRE ET NAISSANCE DE L'INDUSTRIE CHÂLIÈRE FRANÇAISE

La mode du châle cachemire est lancée avec les écharpes orientales à bordures transversales tissées de palmes, rapportées de la campagne d'Égypte menée par Bonaparte en 1798. Trois châles de la collection sont antérieurs à 1820 : deux sont de provenance indienne et un de fabrication française. Les châles indiens espolinés sont fabriqués avec la laine des chèvres du Cachemire, une région du nord-ouest de l'Inde, qui est tissée à la manière d'une tapisserie à l'aide de petits fuseaux ou « espolins », comportant chacun une couleur différente. Les fils de trame sont ensuite crochetés entre eux pour assurer la solidité de l'ensemble. Cette technique nécessite plus de deux mille heures de travail pour une seule pièce. Articles de très grand luxe, importés en fraude en raison du Blocus continental, les châles de cachemire sont copiés en France dès 1805. À la demande de l'empereur, le manufacturier Guillaume Ternaux (1763-1833) utilise le métier à la tire pour tisser des châles en laine et soie, en remplacement du poil de chèvre. Il met au point un nouveau procédé, le lancé découpé, qui consiste à lancer les fils de trame faisant décor sur toute la largeur du tissu, pour les raser ensuite au revers afin de diminuer le poids de la pièce. Cette technique sera perfectionnée grâce à la mécanique Jacquard en 1818. Dans le même temps, le décor s'occidentalise : en bordure de l'unique châle français de la collection, réalisé vers 1810, les fleurs « au naturel » ont remplacé les palmes indiennes.

LE COSTUME D'APPARAT MASCULIN : UN HÉRITAGE DE L'ANCIEN RÉGIME

Le costume de cour masculin du Premier Empire renoue avec l'Ancien Régime. Aux hommes qui ne portent aucun uniforme militaire ou civil, l'étiquette impose l'habit à la française du siècle précédent, composé d'un justaucorps appelé habit, d'une veste sans manches ou gilet et d'une culotte s'arrêtant au genou. Un très beau costume complet d'apparat en velours vert foncé frisé et liseré est brodé « au naturel » de narcisses et de bouquets de violettes (*ill. 45 a*). Trois habits de cérémonie brodés sont aussi coupés sur le modèle de l'habit à la française. Un habit dégagé qui appartient vraisemblablement à un uniforme civil, sorte de redingote ouverte par devant, est en drap de laine bleu marine brodé d'argent. Le velours d'Amiens, représenté par un précieux album-portefeuille d'échantillons de velours de coton imprimé pour gilets, provenant de la fabrique « Ve Jq Jerosme et Fils Aîné d'Amiens », connaît un réel succès. Il imite à moindre coût le velours miniature en soie façonnée, dont le décor à très petits motifs est toujours à la mode.

51 a et b. *Robes de linon blanc brodé au plumetis, vers 1830-1835.* La « taille de guêpe » était habituellement mise en valeur par une ceinture-ruban à haute boucle métallique, assortie ou non au tissu de la robe.

LES MODES ROMANTIQUES
1820-1845

La silhouette féminine de cette période se caractérise par le retour de la taille à sa place naturelle et l'élargissement de la jupe. Un corset baleiné des années 1830-1840, rigidifié par deux lames d'acier ou busc, montre comment obtenir une taille « guêpée » : muni de bretelles et enveloppant jusqu'aux hanches, il est composé de dix pièces solidarisées par des brides, qui donnent de l'aisance. Le costume masculin est lui aussi cintré à la taille, certains élégants adoptant même le corset.

ROBES DE BOURGEOISES
ET DE SYLPHIDES
1825-1839

Pendant une vingtaine d'années, la mode est aux cotonnades légères imprimées au rouleau ou à la planche : percales, basins, jaconas ou mousselines filetées. L'industrie de l'impression sur coton se développe à partir de 1820. En Alsace, le filage et le tissage mécaniques connaissent un essor sans précédent, qui va de pair avec les progrès réalisés dans la teinture et l'impression. Une vingtaine de robes de jour sont en cotonnade de couleur claire imprimée à petits motifs de semis de fleurettes stylisées, de palmettes cachemire, de vermiculures ou de figures géométriques. Avec leurs formes variées, les manches servent d'ornement : manches bouffantes autour de 1825-1828, manches gigot volumineuses vers 1830, montées ensuite sous plusieurs rangs de fronces, enfin, après 1835, manches à l'ampleur descendue autour du coude (*ill. 52 a à d*). Les petites filles sont habillées comme des femmes en miniature, mais plus court, comme en témoignent huit robes en cotonnade imprimée, à manches gigot. Sans rapprochement avec les gravures de mode, ces robes de jour à l'encolure arrondie, au

corsage froncé et à la jupe ample montée sur une ceinture incrustée, sont l'expression plus convenue d'une mode accessible grâce à la baisse des prix.

Deux robes en linon blanc, sur les dix de la collection, sont exceptionnelles : brodées au plumetis et datées entre 1830 et 1835, elles exaltent l'idéal féminin et romantique de la sylphide, dont la danseuse Marie Taglioni est alors la pure incarnation (*ill. 51 a et b*). La broderie au plumetis, à l'aiguille, sur mousseline, sur linon ou sur batiste, est réalisée à Paris et à Nancy. Comme la broderie blanche, elle est très en vogue et orne de nombreux accessoires de lingerie : berthes, canezous, châles, fichus, cols. Dix robes en soie de couleur sombre, dont une robe, vers 1830, en taffetas violet dit « estomac d'ivrogne », avec sa pèlerine assortie, dénotent une sensibilité romantique plus mélancolique.

Les huit robes du soir de la collection ne sont pas toutes complètes. Comme les gravures de mode, la robe de taffetas imprimé, datée de 1828-1830, présente un large décolleté drapé sur la poitrine et retenu en son milieu par une patte, des jockeys de même tissu et des manches ballon en satin écru, enfermées dans de larges manches gigot en mousseline blanche. La ceinture est incrustée et la jupe est ample et montée à fronces. D'après l'inventaire, cette robe aurait été portée par la duchesse de Berry lors de son voyage en Vendée en 1832, durant la tentative de soulèvement légitimiste. Figure légendaire de la mode sous le règne de Charles X, celle-ci donnait des bals costumés moyenâgeux dans le pavillon de Marsan qu'elle occupait au château des Tuileries. Ses invités créaient leurs propres déguisements en s'inspirant de gravures de costumes anciens.

L'unique paire de manches gigot amovibles du musée se portait sur une robe du soir. Elle est en blonde de Caen, une dentelle de soie aux fuseaux

52. Robes de cotonnade imprimée. 1825-1835. 52 a. *Cotonnade imprimée d'un semis de petites fleurs, vers 1835.*
52 b. *Mousseline filetée imprimée, vers 1835.*

52 c. *Percale imprimée de fleurs stylisées, 1828.* 52 d. *Percale imprimée de bouquets de fleurs d'oranger encadrés de rayures, vers 1825.* Les manches gigot sont inspirées par celles des pourpoints de la Renaissance. Le « gigot » est aussi un mancheron en toile forte glissé à la partie supérieure de la manche volumineuse, pour la soutenir.

Une cape brodée au Cachemire pour l'exportation en Europe

Une cape à pèlerine et large col en étamine de laine, réalisée vers 1830, est brodée de motifs cachemire qui imitent le tissage, selon une technique également employée sur quatre châles fabriqués entre 1830 et 1850. En effet, pour répondre à la demande européenne, les tisseurs indiens du Cachemire développèrent la broderie à l'aiguille sur tissu uni, en remplacement ou en complément du tissage espoliné : une erreur de broderie peut être défaite ou rectifiée sans toucher à l'ensemble de l'ouvrage, alors que le tissage, d'une part, requiert plus de temps que la broderie et, d'autre part, nécessite de détisser toute la pièce en cas d'erreur. L'étude de la cape montre que le tissu a vraisemblablement été teint deux fois, d'abord en rouge vif dans son entier, puis en noir, en réservant les parties à broder. La teinture noire a d'ailleurs pénétré sur l'envers du lainage. La doublure en taffetas piqué et ouatiné rendait le vêtement plus chaud. La carrure imposante est presque masculine, mais les gravures d'époque attestent qu'il s'agit bien d'une cape de femme, dont l'ampleur permettait de loger les volumineuses manches gigot.

53. Cape à pèlerine pour femme en sergé de laine teint en rouge, puis en noir, en réservant l'emplacement des broderies cachemire, vers 1830.

formée d'un réseau très fin, avec des motifs travaillés dans un toilé serré : fleurs stylisées et feuilles palmées sont inspirées des châles cachemire. La blonde de Caen et le tulle mécanique brodé à la main, dont l'usage se répand après 1820, ornent les robes habillées de la collection. Le costume de cour est aussi remis à l'honneur sous la Restauration : une robe de cour ayant appartenu à la duchesse Decrès est en tulle brodé argent, avec une longue traîne agrafée à la taille comme sous le Premier Empire.

CHÂLES CACHEMIRE « RENAISSANCE » ET ÉVENTAILS « À LA CATHÉDRALE »

Vers 1830-1840, les châles cachemire de fabrication française en laine et soie, puis en cachemire pur importé, tissés mécaniquement selon le procédé du lancé découpé, concurrencent les châles espolinés. Sept pièces indiennes et deux françaises reflètent cette dualité. De plus, le musée possède une version carrée du célèbre « Nou Rouz », un châle long tramé à douze couleurs, dessiné par Amédée Couder et fabriqué par le châlier parisien Gaussen. Présenté à l'Exposition des produits de l'industrie de 1839, son décor très nouveau appelé « Renaissance » est fait d'édifices en perspective, de personnages et d'animaux, sans imitation des motifs cachemire. Cependant le schéma indien traditionnel demeure et la taille des palmes, des galeries et des bordures s'accroît, envahissant le centre réduit à une réserve monochrome. Les châles de la collection sont longs ou carrés. Ces derniers, plus enveloppants, conviennent mieux à la mode des manches gigot et des jupes en cloche.

Une vingtaine d'éventails brisés, entre 1815 et 1835, rappellent l'engouement pour le

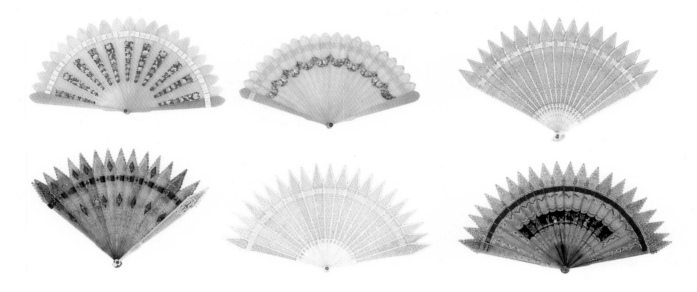

54. *Éventails brisés, vers 1815-1835.*
De gauche à droite et de haut en bas : *corne repercée et peinte, 1815-1820 ; ivoire découpé et peint,*
vers 1830-1835 ; ivoire découpé et doré, vers 1830-1835 ; écaille peinte, vers 1830-1835 ; os repercé, vers 1830-1835 ;
écaille jaspée et peinte, vers 1830. Les brins, reliés par un ruban de soie, sont peints de fleurettes ou de petites scènes,
dorés ou incrustés de paillettes. Une pierre fine comme la turquoise peut être sertie dans la rivure.

Moyen Âge. En os, en corne, en écaille ou en ivoire repercés, ils sont fabriqués, suivant une longue tradition artisanale, dans les villages de l'Oise appartenant aux cantons de Noailles et de Méru (*ill. 54*). Les brins, ajourés à la manière d'une dentelle et terminés en ogive ou en pointe, évoquent les pinacles de l'architecture gothique. L'aumônière, autre accessoire romantique, sert de sac à main. Quelques-unes sont en velours brodé de perles d'acier ou en sablé, avec un fermoir métallique à bouton. Une centaine de petites bourses à coulant,

en filet de soie brodé des mêmes perles, traduit le retour des poches à l'intérieur des jupes redevenues amples.

L'ÉLÉGANCE AU MASCULIN DANS LES ANNÉES 1830

Le costume masculin romantique est composé de pièces aux tissus dépareillés, parmi lesquelles le gilet joue un rôle clef. La trentaine de gilets de la collection, cintrés, voire baleinés, à col châle ou à

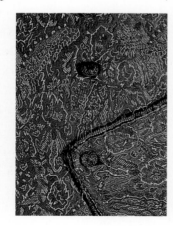

55. Gilets d'homme. 55 a. *Soie brochée à décor de motifs cachemire, 1830-1848.*
55 b. *Satin blanc brodé de feuilles de chêne, 1818-1830.*

petits revers, sont réalisés dans une large gamme de matières et de techniques (*ill. 55*) : lainages écossais ou à motifs cachemire et velours de soie façonnés, pour l'hiver ; piqués de coton blanc, pour l'été ; satins de soie façonnés ou brodés, pour les gilets habillés au col plus échancré. On porte alors plusieurs gilets superposés. Les jeunes gens à la mode, « les Jeunes France », les aiment moulant la poitrine et de couleurs vives, rouges de préférence. Ces gilets-pourpoints sont agrémentés d'une cravate nouée, qui doit masquer le col de chemise blanc, afin de se différencier des « abhorrés bourgeois ».

Les robes de chambre sont aussi les témoins de l'art de vivre au masculin. Une somptueuse robe de chambre en damas de soie jaune d'or, à col châle et revers de manches en velours de soie vert bouteille, est l'expression parfaite de la bohème romantique, celle des artistes et des dandys (*ill. 56*). De forme redingote, très cintrée, elle est vraisemblablement coupée dans un damas d'époque Louis XV, à motifs de fruits et de feuillages exotiques, d'un grand rapport de dessin. Une autre robe de chambre datée de 1830-1840, en percale glacée et imprimée, est d'exécution plus simple.

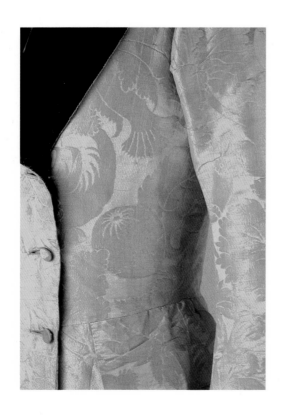

56. *Robe de chambre d'homme en damas jaune d'or et velours de soie vert bouteille, vers 1830.*
Une robe de chambre luxueuse qui rappelle le faste des vêtements d'intérieur masculins du Siècle des lumières.

LE TRIOMPHE DE LA CRINOLINE
1845-1869

Armature rigide portée sous les jupes pour les faire bouffer, la crinoline domine l'histoire de la mode féminine pendant plus d'une vingtaine d'années. Jusqu'en 1860, elle est ronde et a la forme d'une crinoline-jupon faite d'une toile tramée de crin, auquel elle doit son nom. Elle se transforme ensuite en crinoline-cage à cerceaux métalliques, devient ovoïde et rejetée en arrière, et atteint son envergure maximale au milieu des années 1860, pour diminuer de volume à partir de 1867. Le musée possède deux crinolines à cerceaux métalliques passés dans des jupons de cotonnade blanche et deux modèles de jupe-cage américaine Thomson – la marque la plus célèbre –, à cerceaux métalliques maintenus par des sangles qu'on peut relever. Les variantes de crinoline-cage furent nombreuses, liées notamment aux progrès de la métallurgie du fer en matière de laminage. Le plus gros producteur en France fut la maison Peugeot, en Franche-Comté. Avec la crinoline, on porte un corset court, baleiné, sans bretelles ni goussets, qui met en valeur les épaules rondes.

ROBES À VOLANTS
ET DÉCORS À DISPOSITION
1846-1860

Les robes à volants, robes de jour mais aussi robes du soir, correspondent à la silhouette de la crinoline ronde. Les sept robes de jour en mousseline de laine ou en coton imprimés, et les deux robes de bal en faille et en taffetas façonnés (*ill. 57*), sont des robes en deux parties, composées d'un corsage baleiné et d'une jupe à volants étagés, dont le nombre varie de trois à cinq. Le corsage de ville a la forme d'une petite jaquette à basque, avec des manches pagode trois quarts ; le corsage du soir est, lui, largement décolleté en ovale et souvent

orné d'un plastron triangulaire. Les robes à volants, tissées ou imprimées, sont ornées de motifs *placés* ou *à disposition* par les fabricants, qui conçoivent le décor en fonction de la coupe et de l'assemblage final. Vendues toutes faites, ces robes remportent un vif succès et comptent parmi les premiers articles de confection.

ROBES À TRANSFORMATION
ET ROBES DE BAL
1861-1869

De 1861 à 1866, la crinoline est volumineuse et rejetée en arrière. Les volants disparaissent, la taille raccourcit et les manches deviennent étroites. Les jupes sont montées plates sur les hanches, d'abord à plis, puis taillées en panneaux évasés et formant une traîne. La mode est aux robes à transformation qui comportent plusieurs corsages baleinés, portés en alternance, conformément aux prescriptions des manuels de savoir-vivre. Le corselet à bretelles, assorti d'une guimpe de lingerie, est porté dans l'intimité ; le corsage court ou la jaquette, boutonnés jusqu'au cou, conviennent aux sorties ; le corsage largement décolleté est réservé aux réceptions. Une dizaine de robes à transformation à deux ou trois corsages sont réalisées dans des taffetas ou des failles de couleur généralement unie. Les coloris verts, violets, bleus et marron, sont dus au progrès des teintures chimiques et à la découverte, en 1856, des colorants à l'aniline. Les soieries moirées « à l'antique » sont fréquentes : leurs motifs irréguliers sont obtenus par calandrage mécanique, un procédé mis au point à Lyon en 1854.

Sous le Second Empire, le bal devient un moment fort de la vie sociale à Paris et en province. C'est une obligation mondaine pour les familles fortunées.

57. *Robes de jour et du soir à disposition. 57 a. Mousseline imprimée de bandes et de fleurs roses, vers 1854. 57 b. Mousseline imprimée de fleurs violettes en couronnes et de bouquets, vers 1840. 57 c. Soie, bayadère rose et blanche : louisine, cannelé simpleté, reps alternatif, 1855-1858. La robe rose à volants, au fichu assorti, a été portée dans les Caraïbes à l'île de La Trinité, par une grand-tante de la donatrice, née en 1817.*

Le décolleté, dénudant des épaules blanches et tombantes, est d'autant plus profond que l'événement est important. L'ornementation de la robe de bal est faite de garnitures de fleurs naturelles ou artificielles. La coiffure, impérativement « en cheveux », est agrémentée de dentelles, de fleurs ou de bijoux. Dans les grandes occasions, les joyaux sont exhibés : rivières, diadèmes, bracelets articulés. En dépit de la mode à succès des robes à transformation, les riches élégantes revêtent des parures différentes selon les soirées. Quatre robes de bal, datées de 1868-1872, sont en gaze de Chambéry, très prisée pour le soir : l'une en gaze blanche à rayures mauves, l'autre en pékin rayé à base de gaze et de satin rouge (*ill. 61*). Les corsages baleinés, ornés d'un volant de blonde piqué de cristal, découvrent les épaules. Les jupes à traîne sont portées avec une sur-jupe drapée en « tablier », ou bien relevée en pouf. Une ceinture forme nœud à l'arrière.

58. Costume de deuil de petit garçon en ottoman de soie noir, vers 1866. Le boléro présente un décor de créneaux caractéristique de la mode féminine de cette époque.

DES TENUES PLUS PRATIQUES : ROBE PRINCESSE ET « COSTUME COURT »

Les « petites filles modèles » portent, à l'image de leurs mères, des robes princesse ou « à l'impératrice ». D'une seule pièce, ajustées à la taille et larges au bas, ces robes connaissent une grande vogue. Les petits garçons, avant cinq ans, sont aussi vêtus de robes comme le

Le décor « à disposition »

Une quinzaine d'albums de volants façonnés pour robes proviennent de la maison lyonnaise « Champagne et Cᶦᵉ ». Datés entre 1845 et 1855, ils présentent des soieries tissées à disposition sur métier Jacquard, avec des armures juxtaposées (*ill. 59*). Le décor du lé dépend de la hauteur du volant et de son emplacement ou disposition *sur la robe*. Une lithographie de robe à volants, collée à côté de certains échantillons, donne des indications sur la répartition et le métrage du décor à disposition et du tissu uni. Afin de réaliser des économies de mise en carte, le fabricant regroupait en bout de pièce les hauteurs du décor à disposition. Les décors floraux en impression sur chaîne, très appréciés, sont fréquemment utilisés avec les motifs géométriques.

Les albums de bas de robes imprimés à disposition comprennent des organdis, des mousselines, des tarlatanes, mais aussi des lainages comme le barège, une gaze de soie tramée laine qui connut un large succès à partir de 1840, notamment en motifs écossais (*ill. 60*).

59. Échantillon de taffetas façonné à disposition, marron rayé écossais, avec lithographie de « Robe quille 3 volants », extraits de l'album de la collection Champagne « Volants double chaîne façonnés », n⁰ 8, vers 1850.

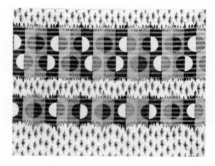

60. Échantillon de barège imprimé à disposition, extrait de l'album « Grande nouveauté de Paris/1854/E. R. », n⁰ 35. Le barège se prête bien à l'impression et fut un des premiers tissus à être lancé comme une nouveauté saisonnière, ici pour l'été 1854-1855.

montre un exceptionnel costume de deuil de 1866 (*ill. 58*).

Le goût des excursions et le succès des bains de mer, liés au réseau ferré en pleine expansion, entraînent l'apparition du « costume court » dans les années 1860. Les robes à crinoline se relèvent sur des jupons de couleur grâce à des cordons de retroussis internes, ou par des brides intérieures, voire des pattes boutonnées sur le pourtour extérieur de la jupe. Un paletot court appelé « saute-en-barque », aux manches larges et évasées, complète la tenue de campagne. On voit aussi apparaître le boléro orné de pampilles à la mode espagnole, en hommage à l'impératrice Eugénie. La collection comprend deux ensembles d'été blancs, formés l'un d'une veste saute-en-barque en linon brodé et l'autre d'un boléro en piqué de coton, avec leurs jupes assorties.

61. Détail du centre d'un châle cachemire dit « des quatre saisons », en laine tissée au lancé découpé, attribué au châlier parisien Frédéric Hébert, vers 1850.

ARTICLES DE NOUVEAUTÉS : MANTELETS ET CHÂLES CACHEMIRE

Les magasins de nouveautés parisiens, nés au début du XIXᵉ siècle, aux enseignes du Gagne-Petit, du Petit Saint-Thomas ou du Cachemire Français, connaissent un essor sans précédent entre 1840 et 1869. De nombreux produits présentés en rayon, une entrée libre, des prix fixes, la possibilité de l'échange ou du remboursement, la publicité, la vente par correspondance, assurent le succès de ces « magasins monstres ». Ils proposent des confections, c'est-à-dire des vêtements de série, neufs et bon marché. Les mantelets brodés dans la forme avec un minimum de façon sont parmi les premiers articles de confection. Ceux de la collection sont au nombre d'une trentaine, en taffetas uni ou changeant, avec des agréments variés

62. Dessin pour châle exécuté à la gouache et au crayon, provenant d'un album de dessins originaux pour châles du milieu du XIXᵉ siècle, nᵒ 69.

de galons, de broderies et de franges.

Les châles cachemire indiens ou français sont bien sûr vendus par les magasins de nouveautés. Pour ces étoles rectangulaires de presque 4 m de long, les grandes crinolines sont un faire-valoir idéal. C'est le dessinateur de châles Antony Berrus (1815-1883), dont l'Union centrale des arts décoratifs a reçu en don les cinquante-deux albums de dessins d'atelier exécutés entre 1840 et 1880, qui crée sur des variations de double palme le style cachemire français le plus répandu. Parmi les onze châles français de la collection, un « châle des quatre saisons » est attribué au châlier parisien Frédéric Hébert vers 1850 (*ill. 61*) : au centre, une réserve en quatre couleurs est obtenue par un procédé nouveau, la teinture préalable des fils de chaîne suivant les contours du décor à tisser. Treize châles indiens espolinés présentent un décor de palmes combiné à des motifs figuratifs de goût occidental. Ce fonds de châles est documenté par une vingtaine d'albums de dessins et d'empreintes, qui rendent compte de l'extraordinaire variété des couleurs et des motifs utilisés (*ill. 62*). À la fin du Second Empire, la production du châle cachemire s'uniformise et la clientèle élégante le délaisse, mais il demeure un cadeau de mariage traditionnel jusqu'à la fin du siècle.

OMBRELLES DITES « MARQUISE » ET DENTELLES EN CHANTILLY

Le musée possède un exceptionnel ensemble de soixante-quinze ombrelles dites « marquises » d'époque Second Empire. Elles sont de petite taille et à manche pliant. Vingt-cinq d'entre elles sont couvertes de dentelle en Chantilly noir, aux motifs se détachant délicatement sur un fond de

63. Robe à transformation et robe du soir. 63 a. *Soie, pékin rayé dit « gaze de Chambéry », à base de gaze blanche et de satin rouge, 1870-1872.*
63 b. *Soie, gaze blanche à rayures violettes dite « gaze de Chambéry », 1868-1870.* La robe à transformation est présentée ici avec son corsage de jour à décolleté carré. À la fin du Second Empire, les rayures se substituent aux teintes unies dans des couleurs et des largeurs parfois voyantes.

64. *Ombrelles dites « marquises », vers 1860. De gauche à droite : ivoire, améthystes montées en cabochons, émail vert, perle baroque, or gravé, Chantilly noir ;*
ivoire sculpté de roses, Chantilly noir, taffetas bleu, initiales « B D » : ivoire, corail, Chantilly noir : ivoire, Chantilly noir, marque « F. Léon Paris ».
Les couvertures en Chantilly noir voisinent avec les matériaux les plus précieux. comme l'ivoire. le corail. la nacre. l'or. l'améthyste et les incrustations d'émail.

65. *Échantillons de nouveautés pour gilets d'homme en velours et peluche de soie, automne 1855, provenant de l'album « Gilets 1855 à 1856 », n°s 557 à 569.*

pongé de soie. Le Chantilly est une dentelle aux fuseaux en soie, aux motifs exécutés en grillé et soulignés d'un fil plus gros. Dix ombrelles ont une couverture en taffetas façonné au décor tissé à disposition, qui donne l'illusion d'une pièce d'étoffe unique. Le manche pliant, souvent sculpté, permet d'incliner la couverture en pare-soleil, pour préserver le teint de lys des élégantes. La poignée est une véritable œuvre d'art, réalisée avec les matériaux les plus précieux : ivoire, écaille, corail, incrustés d'or, d'argent, de pierres précieuses ou de perles (*ill. 64*).

Mise à la mode par l'impératrice Eugénie, la dentelle en Chantilly noir envahit les accessoires du costume féminin, voilettes, barbes et mantilles. L'invention du point de raccroc à l'aiguille permet de réaliser des pièces de grande dimension, comme les très beaux châles, les fichus et les hauts volants en Chantilly aux fuseaux de provenance normande, conservés dans la collection. Les ateliers de la maison Lefébure, installés à Bayeux en 1829, sont les principaux producteurs de ces pièces de qualité, déjà concurrencées par la dentelle mécanique. L'application du système Jacquard au métier à

tulle, un procédé mis au point vers 1840, permet en effet d'imiter toutes les dentelles aux fuseaux.

« TISSUS NOUVEAUTÉS » POUR GILETS MASCULINS

La toilette masculine, toujours constituée de pièces aux tissus dépareillés, devient progressivement plus austère et moins colorée. Seul le gilet demeure un article « riche ». Une dizaine d'albums d'échantillons des années 1850-1862, sans mention de provenance, nous renseignent sur les nouveautés saisonnières (*ill. 65*) : velours de soie noirs, ciselés et façonnés ; lainages à carreaux ; soieries brochées ; cotonnades brochées soie aux motifs imitant l'impression. Le piqué, qui donne du relief, est utilisé sur tous les tissus. Un album exceptionnel de la manufacture parisienne Croco, créée en 1842, présente ses spécialités de tissus cachemire pour gilets, en laine et soie, accompagnées de précieuses notations historiques et techniques de la main même de son fondateur (*ill. 44*).

L'ÂGE D'OR
DE LA GRAVURE DE MODE

En raison des événements révolutionnaires, les journaux et les recueils de mode cessent de paraître de 1794 à 1796. L'année 1797 est celle du renouveau : plusieurs revues sont lancées avec des fortunes diverses. La plus importante est le *Journal des dames et des modes*, qui sera dirigé par Pierre de la Mésangère à partir de 1799. Publié tous les cinq jours, avec une ou deux gravures coloriées hors texte, ce journal donne un panorama très complet de l'évolution des élégances pendant quarante et un ans. Aucun exemplaire complet du *Journal* n'est antérieur à 1825 au sein de la collection, mais le fonds de planches hors texte est riche d'environ 200 gravures coloriées, réalisées entre 1795 et 1820. Elles portent le titre « Costumes parisiens », avec l'année de publication. Les 90 illustrations de coiffures féminines sont étonnantes par la richesse et la précision des détails : les dessinateurs du *Journal* avaient pour mission de se rendre dans les lieux publics afin d'y observer les dernières nouveautés en matière d'élégance.

De 1824 à 1833, le musée conserve plusieurs années du *Journal des dames et des modes* et du *Petit Courrier des dames* qui l'imite dès 1821, les deux publications les plus importantes parmi une centaine de périodiques traitant de la mode. Les gravures hors texte coloriées extraites du *Petit Courrier des dames* portent l'en-tête « Modes de Paris » et présentent les modèles de face et de dos, sur un décor de fond

66. *Costume masculin,*
gravure hors texte coloriée provenant
du Petit Courrier des dames, *vers 1830.*

sommaire (*ill. 66*). Trois recueils factices de gravures du *Follet*, revue créée en 1829, proviennent du fonds de la modiste Caroline Reboux.

Mensuels ou bimensuels, vendus aussi par abonnement, les journaux de mode se multiplient à partir de 1840. Outre des gravures de mode en couleurs, désormais assorties d'une courte description des modèles et des noms des fournisseurs, ces revues proposent des patrons, des ouvrages de dames, des contes, des romans et des chroniques mondaines. La série du *Journal des demoiselles*, une des revues les plus répandues publiée de 1834 à 1910, est presque complète. *Le Magasin des demoiselles* et *La Mode illustrée* couvrent la période 1855-1869. En revanche, le musée ne possède que quelques numéros du *Journal des jeunes personnes* et du *Moniteur des dames et des demoiselles*, une revue considérée comme luxueuse.

Les planches hors texte forment une superbe collection de 220 gravures en couleurs, pour les années 1845-1869. Des artistes connus collaborent alors aux journaux de mode, comme le peintre François Claudius Compte-Calix qui expose régulièrement au Salon. L'illustrateur Jules David, qui travaille pour le *Moniteur de la mode* à partir de 1843, présente ses modèles féminins dans leur rôle de maîtresse de maison, dans leur intérieur, ou en promenade, aux courses, chaque scène constituant un document précis sur les décors de

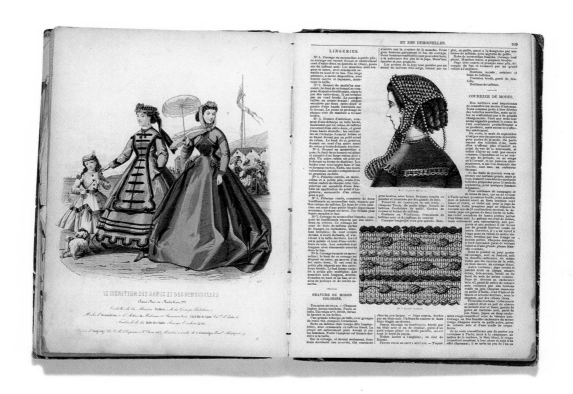

67. *Gravure hors texte coloriée n° 827, dessinée par Jules David, avec textes et modèles d'ouvrages de dames,*
extraits du Moniteur des dames et des demoiselles, *1865-1866.* Au centre, la toilette de campagne comprend une longue casaque
peu ajustée et une jupe courte, qui laisse visibles le jupon découpé en lambrequin et les bottines en cuir de Russie.
La robe de droite est de coupe « Impératrice », plate devant et sur les hanches, avec toute l'ampleur rejetée à l'arrière.
La petite fille, âgée de sept à huit ans, porte une jupe très courte sur un pantalon garni de dentelle.

l'époque (*ill. 67*). Mais les illustrateurs les plus célèbres sont incontestablement les trois sœurs Colin : Héloïse Leloir, Anaïs Toudouze et Laure Noël. On retrouve leurs signatures dans la plupart des journaux de mode. Après la guerre de 1870, les revues s'adressent à une clientèle plus diversifiée et les tirages progressent. *L'Art et la mode*, créé en 1880 et destiné à un public mondain et parisien, reproduit la première photographie de mode en 1880. Il est conservé dans la collection à partir de 1886 et 150 gravures en couleurs, sur les 300 datées entre 1869 et 1889, proviennent de cette revue.

La Mode pratique, hebdomadaire créé en 1891, s'adresse en priorité aux mères de famille pour lesquelles sont édités des patrons séparés, dont le musée possède des exemplaires du début du XXe siècle.

C'est la première revue à utiliser régulièrement la photographie de mode pour ses illustrations. La gravure connaît alors ses dernières heures de gloire. La collection comprend environ 650 illustrations de mode pour la période 1890-1914, parmi lesquelles 300 gravures en couleurs de *L'Art et la mode*, 80 planches hors texte du *Magasin des demoiselles* et de *La Mode artistique*, et une cinquantaine de photographies provenant de *La Mode pratique*.

La revue *Femina* est conservée au musée de manière quasi ininterrompue de 1901 à 1956. Bimensuelle puis mensuelle, c'est le premier journal de mode à donner la parole aux femmes et à s'intéresser à leurs activités professionnelles ou sportives : en 1905, la conférence Femina organise débat et vote sur des sujets de réflexion soumis aux lectrices, et crée le prix Femina pour récompenser chaque année une œuvre littéraire féminine.

LE STYLE TAPISSIER
1869-1889

POUFS ET TOURNURES

Les étoffes riches, les drapés et les lourdes garnitures caractérisent la mode de cette époque, qui est inspirée par le style tapissier prédominant en décoration. De 1869 à 1874, la tournure, une demi-crinoline baleinée seulement derrière, ne garde un cerceau complet qu'en sa partie inférieure. Les robes forment en outre un pouf sur l'arrière, grâce à une jupe de dessus relevée par des cordons ou un drapé amovible agrafé à la taille. Entre 1874 et 1876, la tournure conserve sensiblement le même volume, mais le pouf a tendance à disparaître pour laisser la place à la « queue d'écrevisse », au nom évocateur, formée d'un long sac en toile blanche ou en lainage rouge, muni d'arceaux. Après 1885, la tournure, remise à l'honneur, devient proéminente, armée de demi-cerceaux très rapprochés et rigides, qui lui valent l'appellation de « strapontin ». Le musée possède un modèle intéressant de tournure-cage Thomson rétractable – pour permettre à la femme de s'asseoir –, à demi-cerceaux métalliques maintenus par des rubans de coton à œillets. La tournure donne au corset une importance nouvelle : étranglé en forme de sablier, il marque la taille, et son busc galbé épouse la courbure du ventre. Un corset de mariée de 1890, en basin blanc entièrement baleiné de fanons véritables et fermé devant par un busc « en poire », en fournit un bon exemple.

ROBES À TOURNURE
ET PREMIERS COSTUMES DE LOISIRS

La collection possède des robes différentes suivant l'évolution de la tournure. Une vingtaine illustrent les années 1869 à 1874. Elles sont en deux parties et forment un pouf sur l'arrière. Les corsages de ville sont courts et boutonnés jusqu'en haut, à manches collantes. Les garnitures sont simples : ruchés, fronces et plissés. Une belle robe de mousseline blanche de 1870 permet de constater que les cotonnades claires sont toujours à la mode pour l'été. Les villégiatures à la campagne, dans les stations balnéaires ou les villes thermales, favorisent l'apparition des tenues de loisirs. Des six ensembles de la collection, quatre sont sans jupe de dessous, celle-ci pouvant être dépareillée. Ils sont réalisés dans des cotonnades aux motifs voyants, écossais, rayés ou à pois. Un ensemble est en lin écru brodé de soutaches ton sur ton.

La tournure « queue d'écrevisse » est représentée seulement par une robe de mariée incomplète, de forme princesse, qui date de 1875.

Vingt-cinq robes d'intérêt inégal correspondent à la dernière période dite du « strapontin ». Les tissus, surah, satin broché, velours côtelé, sont lourds et forment des drapés compliqués, agrémentés de garnitures. Pour le jour, les corsages baleinés sont très ajustés et pointus devant, à col montant. Une robe de mariage à traîne de 1881, en satin bleu foncé, présente une tournure encore peu prononcée (*ill. 68*). Elle est ornée d'une garniture perlée et de bandes bouillonnées. La jupe est drapée sur les côtés, formant un « tablier » sur le devant, avec un effet de jupe de dessous. Les petites filles portent aussi la tournure. Une dizaine de robes de la collection sont à taille basse, avec une jupe courte à volants ou larges plis. Une jaquette ou un paletot assortis complètent parfois la tenue, comme dans la mode féminine adulte.

La vogue des stations balnéaires – Deauville et Trouville, sur la côte normande, sont à environ quatre heures de train de Paris – donne naissance aux

68. *Robe de mariage à tournure, en satin bleu foncé garni de galons de perles bleu paon et de cristal à motifs floraux, 1881.*
Robe portée avec une capote bleu canard, pour un mariage en l'église de la Madeleine à Paris en mai 1881.

costumes de bains de mer. Deux ensembles en cotonnade sont assez semblables, formés d'un corsage-marinière et d'une jupe courte dans des harmonies de bleu-blanc-rouge. Le troisième costume est coupé dans un lourd drap de laine bleu et rouge.

UN ENSEMBLE EXCEPTIONNEL
DE « VISITES »

Le châle cachemire, passé de mode après 1870, est remplacé par la « visite », un vêtement qui tient à la fois de la cape et du manteau trois quarts, aux manches entravées. Sa forme est adaptée à la tournure, ainsi dégagée à l'arrière. La quarantaine de visites du musée, des années 1870-1890, témoigne de l'engouement extraordinaire suscité par cette mode (*ill. 70*). Une quinzaine d'entre elles sont coupées dans des châles cachemire usagés ou ornées d'applications de palmes sur tissu uni. La plus belle pièce est entièrement brodée de dessins cachemire. Ces chefs-d'œuvre expriment toute la quintessence du style tapissier : couleurs flatteuses, richesse des tissus façonnés et somptueuses passementeries de soie.

GRANDS MAGASINS
ET CATALOGUES DE VENTE
PAR CORRESPONDANCE

Héritier du magasin de nouveautés né vingt ou trente ans plus tôt, le grand magasin prend sa véritable dimension économique vers 1870. Des constructions

69. *Gravure pour le catalogue du* Bon Marché,
« *Nouveautés – Modèles des confections, hiver 1879-1880* », p. 30-31.
Le veston apparaît vers 1850 dans la garde-robe masculine.
C'est d'abord un vêtement d'intérieur ou négligé.
Il devient d'un usage plus fréquent après 1870.
Le complet, composé d'une veste, d'un gilet et d'un pantalon
de même tissu, entre en faveur vers 1875.

70. Visites, vers 1870-1890. 70 a. *Satin bleu marine broché de motifs chinois multicolores, avec des franges de lacets coupés et des petits glands or, 1870-1880.*
70 b. *Lainage rose brodé de motifs cachemire en fils de soie et d'or au point lancé et au point de chaînette avec des franges multicolores, 1880-1885.*
70 c. *Peluche de soie avec des franges de chenille, vers 1890.*

70 d. *Gaze façonnée fond noir à décor cachemire, vers 1870.*
70 e. *Velours grenat bordé d'un large galon agrémenté de chenille du même ton et d'une frange rouge et jaune, 1885-1888.*
La visite à motifs chinois, située à l'extrême gauche, a appartenu à la mère de Mariano Fortuny.

Les cahiers de références de la maison Rodier

Les archives de la maison Rodier (1853-1962), constituées d'échantillons libres de la seconde moitié du XIXᵉ siècle et d'albums de textiles de collection, du XVIIIᵉ au début du XXᵉ siècle, comprennent aussi neuf cahiers de références pour les années 1879-1887, qui nous renseignent d'une manière exceptionnelle sur la création des tissus « haute nouveauté » pour la mode. La maison fut fondée en 1853 par Eugène Rodier, à Bohain, en Picardie. Les châles façon cachemire, les gazes et les barèges d'une qualité exceptionnelle, imposèrent très vite la marque. Un siège parisien ouvrit en 1883, rue des Moulins, dans le quartier de l'Opéra. Les grands cahiers d'échantillons montrent la variété des tissus proposés chaque saison aux clients. La maison Rodier est alors spécialisée dans les décors à disposition, brochés ou imprimés : les motifs sont coordonnés suivant les différentes parties de la robe. Des gravures de mode accompagnent les échantillons pour présenter le modèle dans son entier. Fait notable, tous les dessins de tissus sont des créations originales de la maison Rodier.

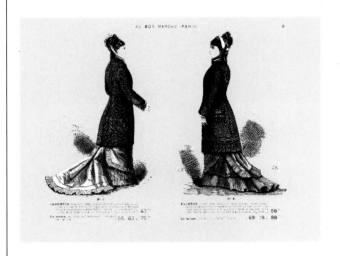

72. *Gravure de catalogue du* Bon Marché, *« Modèles des confections, hiver 1878-1879 », p. 9.*

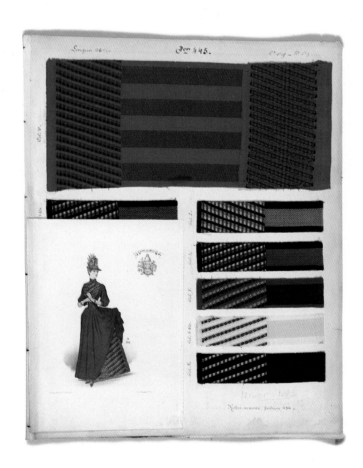

71. *Première page du cahier de références de la maison Rodier pour l'hiver 1885 : douze échantillons de sergé de laine façonné, avec lithographie de la robe correspondante (dessiné par Levilly, imprimé par Lemercié et Cⁱᵉ à Paris), cahier 89, « Coupon 445/ [litho]. A 1768 ».*

de prestige apparaissent au cœur du Paris haussmannien, avec, comme prototypes du genre, le Bon Marché et les Magasins du Louvre. Le moteur de l'activité est la rotation rapide du stock, qui permet, en réalisant un chiffre d'affaires élevé de renouveler sans cesse l'offre. La consommation est constamment sollicitée à travers des événements qui rythment l'année entière : soldes, expositions, nouveautés saisonnières…

La vente par correspondance sur catalogue s'adresse à toute la clientèle provinciale. Entre 1870 et 1890, une quinzaine de catalogues de la collection sont consacrés surtout à la confection féminine, avec seulement quelques pages pour les vêtements d'homme ou d'enfant. En l'absence d'un système de prise de mesures fiable, les articles proposés sont peu ajustés : visites, jaquettes, manteaux (*ill. 69 et 72*). Les gravures des modèles sont accompagnées d'une courte description et des prix. Jusqu'en 1914, à peine une centaine de catalogues de vente représentent les principaux grands magasins parisiens (Printemps, Aux Galeries Lafayette, Belle Jardinière…) et quelques magasins de nouveautés (À Pygmalion) (*ill. 73*). Il n'y a aucune série continue.

73. *Gravure de catalogue des* Grands Magasins du Printemps. *« Catalogue spécial de Blanc, 1889 », p. 30-31.*

Ces catalogues présentent les nouveautés d'hiver et d'été, avec en plus des parutions spécialisées au cours de l'année : catalogues de fourrures, de robes et manteaux, de vêtements de sport… auxquels s'ajoutent de nombreux dépliants et cartes publicitaires.

COUTURE PARISIENNE ET FABRIQUE LYONNAISE

Charles Frédéric Worth (Bourn, Lincolnshire 1825-Paris, 1895) est considéré comme le père de la haute couture. À son arrivée à Paris, il est commis chez Gagelin, une maison parisienne réputée pour ses confections sous le Second Empire. En 1858, Worth installe sa propre maison de couture rue de la Paix. C'est la première maison de haute couture parisienne dont la notoriété va s'étendre au monde entier. À partir des croquis de Worth, les modèles sont réalisés dans ses ateliers d'abord en toile, puis en modèles réels à la taille des mannequins qui les porteront. C'est Worth qui eut le premier l'idée des « sosies », jeunes filles choisies en fonction du physique des principales clientes pour présenter ses créations en défilant dans les salons.

Les albums de la maison Tabourier, à l'Exposition universelle de 1889

Cette année-là, l'entreprise Tabourier, Bisson et Cie remporte un grand prix à l'Exposition universelle. La maison Tabourier (1850-1914), située 6, rue des Fossés-Montmartre à Paris (actuelle rue d'Aboukir) est spécialisée dans la fabrication des « tissus nouveautés », qu'elle fait réaliser en Picardie, d'abord à Bohain, puis à Maretz à partir de 1879. Cette production est exemplaire par la variété des armures, des dispositions et des coloris. Le musée possède environ 1 000 albums qui couvrent l'existence entière de la société et ont été reclassés suivant la chronologie des raisons sociales, reconstituée grâce au dépouillement systématique des almanachs du commerce parisien. Ce fonds témoigne, d'une part, de la diversité des fabrications qui comprennent les tissus de soie et de laine, mais aussi les dentelles et les broderies en tous genres et, d'autre part, de la concentration progressive du capital entre les mains de la seule famille Tabourier.

Sur les cinq albums présentés en 1889, les gazes de soie en occupent presque deux : elles sont unies ou façonnées, combinées avec la peluche ou le velours, imprimées, perlées, cloquées, lamées. Viennent ensuite les crêpes de laine et soie, souvent brodés. Un volume est consacré aux velours façonnés et perlés, surtout de couleur noire, et un autre aux lainages, dont les motifs sont parfois étonnants. Le dernier registre contient les tissus fabriqués avec un fil breveté, parmi lesquels des échantillons imitant la fourrure d'astrakan.

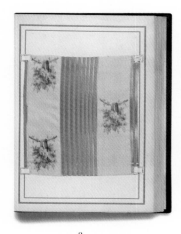 

a.   b.

74. *Échantillons de « Tissus nouveautés » provenant des albums de la maison Tabourier présentés à l'Exposition universelle de 1889.*
a. *Gaze de soie façonnée extraite de l'album « TB et Cie/Gazes unies et façonnées/Maretz », échantillon n° 8808/1005.*
b. *Deux satins de laine façonnés extraits de l'album « TB et Cie/Tissus laine et laine mélangée », échantillons n° 8734, col. 2 et 3, p. 22.*

L'ensemble des différents modèles constitue une collection. Dans un second temps seulement, ces modèles seront adaptés aux mesures des clientes, parmi lesquelles on compte, sous le Second Empire, l'impératrice Eugénie. C'est aussi Worth qui inventa la griffe du couturier, en faisant tisser son nom, puis sa signature, sur l'étiquette de ses vêtements. Le paletot-visite en velours violet perlé, de 1868-1870, est la plus ancienne pièce de la collection qui porte sa griffe.

Une très belle robe du soir de Worth, de 1884, est réalisée dans un magnifique satin de couleur orangée, à décor broché de rubans noués et de papillons jaune d'or. Ce tissu est à rapprocher des vingt soieries du musée présentées à l'Exposition universelle de 1889 par les meilleurs fabricants lyonnais. Ces façonnés à grand rapport de dessin regroupent en majorité des damas liserés et des lampas, dont le décor floral se déploie sur toute la hauteur du lé (*ill. 75*). Il s'agit de tissus à disposition pour robes, encore appelés « damas robe », créés par les soyeux lyonnais pour répondre à la demande des maisons de couture parisiennes. Le musée possède ainsi un lé d'une des rares soieries de l'Exposition de 1889 à avoir effectivement été utilisée par le couturier Worth. Ce superbe damas robe lancé et broché, à décor de tulipes « perroquet » multicolores sur fond noir, fabriqué par la maison lyonnaise Gourd, a fourni l'étoffe d'une cape du soir spectaculaire, conservée dans les collections du Brooklyn Museum à New York.

75. *Damas robe lancé et broché, présenté à l'Exposition universelle de 1889, par la maison de soierie lyonnaise Piotet et Roque.*

76. Trois silhouettes « fin de siècle », 1888-1900. 76 a. *Robe de mariage à décor floral Art nouveau, drap bleu brodé de grosses fleurs en velours et chenille, biais de satin, griffée « E. Cogenhem », 1898. 76 b. Robe-tailleur, lainage et velours beiges, guipure, 1890-1900.*
76 c. *Robe de mariage japonisante, satin crème broché et mousseline plissée bleu pâle, griffée « Blanchet et Murgier », 1888-1892.*

LA BELLE ÉPOQUE
1889-1914

LES DERNIÈRES
TRANSFORMATIONS
DU CORSET

À partir de 1890, la tournure est abandonnée, réduite à un petit coussin rembourré, cousu dans la doublure de la jupe. Le corset, complété par un jupon souple, modèle la silhouette avec sa forme très cambrée. Vers 1900, le busc s'allonge devant, ce qui accentue la courbure des reins et donne au corps cette ligne en S, caractéristique de l'Art nouveau. Les plus belles pièces sont en soie de couleurs vives. Deux corsets du début du siècle sont en satin ivoire, garnis de dentelle aux fuseaux et munis de jarretelles. Les petites filles portent aussi des corsets en toile – le musée en conserve une dizaine – à plis piqués et larges épaulettes.

En 1910, la mode s'inspire du Premier Empire et retrouve alors une ligne droite, imposant la création d'un corset long et souple qui gaine le bas du corps. Pour la première fois un tissu élastique entre dans sa composition et le soutien-gorge apparaît en complément, sous la forme d'un cache-corset baleiné. Un exemplaire de la collection s'agrafe devant et se lace dans le dos. Avant la guerre de 1914, sous les robes entravées, le corset descend jusqu'à mi-cuisse.

UNE MODE ÉCLECTIQUE :
JAPONISME ET HISTORICISME
1890-1897

Jusqu'en 1892, la silhouette est longiligne, avec une jupe tombant à plis verticaux et un corsage de ville aux emmanchures étroites. Sur dix-sept robes de jour, deux en satin broché mettent en évidence l'influence du japonisme sur la mode. Le décor de motifs stylisés est très graphique : ramages tournoyants et lignes ondulantes (*ill. 76 c*). Une robe princesse en drap jaune pâle, bordée de plumes blanches, est brodée de motifs qui évoquent les branches de cerisiers en fleurs, thème japonais par excellence.

Entre 1893 et 1897, la silhouette change radicalement et le style Renaissance, interprété selon la mode des années 1830, s'impose. La jupe ronde, en cloche très évasée, équilibre de larges manches gigot. On compte vingt-six robes de jour pour cette période et treize robes du soir, dont trois, griffées de la maison Worth, figurent parmi les chefs-d'œuvre du musée. Elles sont réalisées dans de somptueux velours façonnés lyonnais, détournés de leur usage d'ameublement, velours qui ont fait l'originalité de la maison Worth. Le décor de tulipes et d'œillets persans d'une de ces robes à traîne, de 1895, est inspiré d'un tissu d'époque ottomane, dont on peut voir un modèle proche dans la collection (*ill. 80 a*). Le col en guipure – dentelle à brides par opposition à la dentelle à fond de réseau – est vraisemblablement un remploi d'une pièce ancienne. Trois robes du soir, dont deux déguisements, s'inspirent aussi du XVIIIe siècle : les tissus sont une soie imprimée sur chaîne, imitant le chiné à la branche, et un taffetas rose à décor de semis de fleurettes de style Louis XVI ; le corsage est en pointe devant, avec un plastron triangulaire en dentelle métallique ou en mousseline, qui rappelle les pièces d'estomac.

En revanche, alors que ces robes du soir font résolument référence aux siècles précédents, le goût du voyage favorisé par le développement du chemin de fer va imposer une mode plus fonctionnelle dont les lignes se simplifient. Un exceptionnel ensemble de voyage en tartan écossais, de 1895-1900, formé d'une robe en deux parties et d'un blouson, est d'une étonnante modernité (*ill. 77*). Un sac en cuir grené vert, muni d'un crochet qui se fixe à la ceinture, faisait partie des nombreux accessoires indispensables au voyage.

LE STYLE 1900
1898-1904

Influencées par l'esthétique de l'Art nouveau qui privilégie les formes sinueuses et les motifs naturalistes, les robes s'épanouissent en « corolle ». La jupe, plus longue derrière que devant, s'évase sur le sol grâce à un grand volant en forme. Plusieurs robes de la collection ont conservé leur « balayeuse », ce ruban-balai cousu en bordure de l'ourlet pour protéger l'étoffe de la poussière. La taille doit être très fine, prise dans un corset qui accentue les formes du corps féminin. Le corsage de ville garde son col montant. Les manches étroites, légèrement froncées en haut, se terminent en pagode ouvrant sur des manchettes. Le fonds de guimpes, de cols et de manchettes, destinés à accessoiriser les robes du début du siècle, est particulièrement riche. La collection comprend une centaine de robes de jour, dont environ trente-cinq sont de couleur noire et souvent ornées de broderies de jais. S'agit-il de robes de deuil ? Il est difficile de trancher : si le noir s'est imposé au cours du siècle comme la couleur du deuil, c'est aussi celle de la bienséance revêtue par une bourgeoisie respectable lorsque les circonstances l'exigent. En revanche, dix-sept robes d'été en cotonnade ou en lin sont blanches, garnies d'incrustations de guipure ancienne ou mécanique. La dentelle d'Irlande au crochet et la broderie anglaise sont au goût du jour. Une exceptionnelle robe de mariage de forme princesse, griffée de la maison Cogenhem à Paris, et datée de 1898, est un bel exemple de l'influence de l'Art nouveau dans le décor des tissus (*ill. 76 a*). En drap de laine bleu pâle, elle est brodée d'applications de grosses fleurs en velours et en chenille, reliées entre elles par des biais de satin qui se prolongent en fines rayures à la taille. Le bas de la jupe, à découpes dentées, est décoré de la même manière.

Le costume tailleur, composé d'une veste et d'une jupe de même tissu, a été créé par le couturier anglais Redfern vers 1885. Réalisés pour l'été, deux exemples en lin datent du début du siècle. Dans une version plus féminine, une robe-tailleur comporte un corsage qui donne l'illusion d'une veste portée sur une guimpe (*ill. 76 b*). Enfin, très rare pour cette époque, un manteau long griffé Redfern est en drap de laine bleu marine à décor de soutaches noires.

LA HAUTE COUTURE EN 1900 :
ROBES DU SOIR
DE WORTH ET DOUCET

À l'Exposition universelle de 1900, vingt maisons de haute couture parisiennes occupent un pavillon entier. À l'exception de Jacques Doucet qui ne participe pas à l'événement, tous les noms célèbres sont présents : Aîné-Montaillé, Callot Sœurs, Dœillet, Félix, Laferrière, Ney, Paquin, Raudnitz, Redfern, Rouff, les fils Worth. Ces maisons ont toutes été créées entre 1873 et 1899. Elles sont installées les unes aux environs de la rue de la Paix, les autres sur les Grands Boulevards. Leur fonctionnement n'a guère changé depuis Worth. Sur une vingtaine de robes du soir créées vers 1900, neuf sont griffées de maisons de couture, dont deux de Worth et quatre de Doucet, noms qui jouissent alors d'un égal prestige. Le couturier Jacques Doucet (1853-1929), grand collectionneur d'objets d'art et de tableaux du XVIIIᵉ siècle, a un goût marqué pour les dentelles anciennes et les teintes pastel, qu'il utilise abondamment dans ses créations. Il est le fournisseur

77. Rare ensemble de voyage en tartan écossais, 1895-1900.

attitré des comédiennes et des demi-mondaines de la Belle Époque : des robes de la collection ont été portées par la danseuse Cléo de Mérode et la comédienne Yvonne de Bray.

LA RUPTURE DE 1907 :
LES ROBES DIRECTOIRE
DE PAUL POIRET

En s'inspirant des robes du Directoire, Paul Poiret (1879-1944) rompt avec les conventions et présente une collection de robes à la ligne droite. Le fonds d'une vingtaine de robes et d'une dizaine de manteaux du couturier est exceptionnel et compte parmi ses créations les plus étonnantes d'avant 1914. Sur les cinq robes du soir créées pour la collection de 1907, deux ont des titres évocateurs : « Joséphine » et « 1811 ». Elles sont baleinées uniquement au niveau de la ceinture et non plus sur le corsage intérieur tout entier (*ill.* 78). Cette trans-formation radicale et cette suppression partielle du baleinage interne de la robe de la Belle Époque valurent à Poiret la réputation d'avoir « libéré la femme du corset ». La collection méritait une édition de luxe ; elle fut réalisée, à la demande de son créateur, dans un superbe album de dessins-modèles par Iribe, intitulé : *Les Robes de Paul Poiret racontées par Paul Iribe* (*ill.* 79). Un manteau du soir de 1907, le modèle « Hispahan », influencé par le caftan oriental, figure aussi dans l'album d'Iribe. Une robe du soir en satin changeant gris, reproduite dans ce même album, est inspirée par le folklore populaire avec son corselet lacé par une cordelière jaune et son corsage blanc à manches ballon. Une autre robe du soir de 1908 célèbre les fastes de l'Orient : c'est une superbe tunique en mousseline de soie verte perlée et brodée de fil or, bordée de vison et portée sur un fond de satin jaune. Orient et folk-lore sont les deux sources où le couturier puise son inspiration.

78. *Détail de la robe « Eugénie » de Paul Poiret, 1907.*
79. *Illustration représentant trois autres modèles de 1907 – dont la robe « 1811 » à rayures violettes qui figure aussi dans la collection –,
extraite de l'album de Paul Iribe* Les Robes de Paul Poiret racontées par Paul Iribe, *publié en 1908.*

80 a. *Robe du soir à traîne en velours façonné rouge foncé sur fond de satin brun, col en guipure, griffée « Worth - Paris », vers 1895.*
80 b. *Robe « Delphos », soie plissée, perles en pâte de verre, attribuée à Mariano Fortuny, 1910-1915.*
Ces deux robes font toutes deux référence à l'histoire, mais la première s'inscrit dans le goût éclectique de la fin du XIXᵉ siècle,
alors que la seconde est d'esprit résolument moderne par sa ligne épurée « à l'antique ».

LA LIGNE DROITE TRIOMPHE
1908-1910

La ligne dessinée par Paul Poiret est un succès. En 1910, les robes sont à taille haute baleinée, soulignée par une ceinture en soie de couleur, ornée de fleurs en tissu. La jupe, étroite, tombe droit avec souvent une fente discrète au bas ou des plissés dissimulés dans les coutures. Dix-sept robes de jour sur les soixante de la collection portent les griffes de maisons de prestige : Alice Blum, Bourniche, Callot Sœurs, Félix, Ney Sœurs et Thévenin-Carouget. Les tissus sont légers : mousselines, tulles, crêpes, gazes et taffetas, et ont parfois souffert du poids des broderies perlées ou de celui des incrustations de dentelles. Les garnitures des robes d'été, une vingtaine environ, sont également alourdies par le filet brodé, les soutaches, la guipure ou la dentelle d'Irlande au crochet.

De grandes capelines à bords plats, en paille ou en velours, couronnent cette silhouette filiforme. Elles sont garnies de fleurs artificielles disposées en buissons ou de grandes plumes d'autruche à brins renoués, appelées des « pleureuses ». Les ombrelles destinées à protéger la blancheur du teint sont de rigueur à la belle saison. Les gants de peau sont portés en toute circonstance, car une femme de la bonne société ne montre jamais ses mains nues. Au début du siècle, les grandes courses hippiques donnent lieu à de véritables concours d'élégance, qui servent admirablement la publicité des couturiers et la diffusion des modes nouvelles.

81. *Sept chapeaux de Caroline Reboux, entre 1867 et 1900, dont celui en satin « écaille blonde » orné de plumes de paradis, créé pour la comédienne Gabrielle Dorziat vers 1900.*
De haut en bas et de gauche à droite : chapeau en paille piqué de giroflées et de pensées en tissu, dentelle aux fuseaux noire, 1896 ; calot en perles de jais avec aigrette noire, créé pour madame Gaston Menier, 1885 ; chapeau en paille et crin, taffetas changeant vert, velours bordeaux, fleurs de géranium en velours orangé, 1868 ; canotier en paille marron, ruban de velours vert dont les pans flottants étaient surnommés « suivez-moi-jeune-homme », 1892 ; chapeau en satin « écaille blonde » orné de plumes de paradis, vers 1900 ; petit canotier en paille entouré d'une guirlande de cerises, 1867 ; capeline en paille d'Italie, ornée d'une guirlande de fleurs des champs, 1868.

Les chapeaux de Caroline Reboux

Trois cents chapeaux, griffés pour la plupart et datés entre 1860 et 1956, constituent un ensemble exceptionnel dans les collections du musée. Une centaine de pièces sont antérieures à 1914, plus de quarante d'époque Second Empire sont des témoignages uniques sur les débuts de Caroline Reboux (1840-1927). Des capotes en paille ou en tissu, à la mode des années 1860, se mêlent à six capelines de toute beauté, en paille d'Italie tressée à décor de fleurs et de rubans, qui rappellent les chapeaux de jardin du XVIIIᵉ siècle. Caroline Reboux a coiffé les grandes dames du Second Empire : la princesse de Metternich, la comtesse de Pourtalès ou la comtesse de Castiglione, mais aussi l'impératrice Eugénie. Une curieuse toque en zibeline, de 1868, a été portée par l'impératrice Élisabeth d'Autriche lors de ses voyages en Hongrie. Vers 1870, la maison Caroline Reboux s'installe au 23, rue de la Paix, à Paris, et elle emploie plus de cent personnes en 1900. Elle ne cesse de créer, pour une clientèle élégante, des modèles uniques exécutés sur mesure, comme ce calot de jais à aigrette noire, réalisé pour madame Gaston Menier en 1885. Les garnitures de la Belle Époque sont luxueuses : plumes de paradisier, de lophophore, d'autruche. Un grand « relevé » en taffetas noir et velours orange, orné de plumes de paradis brun rouge, a été réalisé en 1912 pour la comédienne Réjane, qui jouait dans La Flambée, *une pièce d'Henri Kistemaeckers créée en 1911 au théâtre de la Porte-Saint-Martin à Paris.*

LE STYLE
SULTANE
1911-1914

En 1909, les Ballets russes font sensation dès leur apparition sur la scène parisienne du Châtelet; en 1911, Paul Poiret donne dans son hôtel particulier une retentissante fête persane « La Mille et Deuxième Nuit » : le style sultane est à la mode. Le couturier écrit dans ses mémoires : « Oui, je libérais le buste, mais j'entravais les jambes. » La faveur va donc au profil « tonneau » de la taille aux chevilles, aux robes entravées, aux jupes-culottes véritables ou simulées (*ill. 82*). Chez les grands couturiers représentés dans la collection, comme Bourniche, Callot Sœurs et Lanvin, la silhouette entravée voisine avec des robes à la ligne droite. Un beau tailleur habillé de Callot Sœurs, en taffetas vert avec une garniture de velours noir, illustre le succès remporté auprès des élégantes par ce costume conçu à l'origine pour les loisirs. Traduisant l'influence du japonisme dans la structure même du vêtement, une dizaine de manteaux du soir sont de forme kimono, en satin ou en panne de velours de couleur, ornés de belles passementeries en soie.

Sept robes de jour et quatre robes du soir de Paul Poiret comptent parmi les plus inventives. De sa tournée dans les capitales européennes en 1912, le couturier rapporte un croquet vert et rose acheté sur le marché de Cracovie, en Pologne, dont il borde la « Robe fleurie », affirmant ainsi son goût pour les couleurs vives. De même, la robe « Mélodie » de 1912 joue sur le contraste entre le violet de la tunique en velours et de la robe fendue en damas et le rouge cerise du liseré bordant la tunique. Encore de Paul Poiret, sept manteaux du soir somptueux, dont le très beau manteau de 1910 en soie orange brochée or, doublé de taffetas vert, avec un col et des manches en fourrure, qui rappelle l'Orient.

Une place à part doit être faite au créateur d'origine espagnole, installé à Venise, Mariano Fortuny (1871-1949). Le musée conserve une douzaine de pièces, parmi lesquelles deux robes « Delphos » inspirées par la statue de l'Aurige de Delphes. Ces robes de soie, qui ont rendu Fortuny célèbre auprès des élégantes du monde entier, présentent un plissé permanent obtenu par un procédé qu'il fit breveter en 1909 (*ill. 80 b*). Deux robes-tuniques imprimées de calligraphies librement interprétées, l'une en lin beige et l'autre en gaze de soie verte, ainsi qu'un manteau droit de forme caftan, en velours de soie rose pâle, à motifs or et argent d'inspiration orientale, illustrent le travail d'impression sur étoffe auquel se consacra l'artiste, puisant son inspiration aux sources les plus diverses : art grec, Renaissance, art copte, islam… Les techniques utilisées sont souvent très difficiles à identifier.

82. *Couverture de la revue* Femina, *numéro du 15 avril 1913.*
« D'une originalité exquise, d'un chic suprême, avec sa jaquette de grand style, très dégagée sur un gilet de satin blanc, voici l'Élégante [...]. L'enroulement fortuit de la jupe ajoute à la démarche une grâce imprévue, hardie, un peu étrange… »

L'ESSOR DE LA CONFECTION

Vers 1900, la confection s'étend à presque tous les domaines de la toilette jusqu'à la lingerie et aux accessoires. Cependant les pièces de la collection griffées de maisons de confection ou de grands magasins représentent un quart, voire moins, des articles féminins les plus caractéristiquent : collets, vestes, manteaux et tailleurs. Le collet, une pèlerine courte, agrémentée de garnitures variées, remplace la visite à la fin du siècle. On en dénombre environ quatre-vingts, de 1890 à 1900, dont une vingtaine portent les griffes : « Au Bon Marché », « Au Louvre », « Aux Galeries Lafayette » ou « Au Gagne-Petit ». Plus de la moitié sont de couleur noire. De même une quinzaine de vestes sont griffées de marques cependant moins connues. Sur sept manteaux griffés, un porte la marque « La Cour Batave », et seul un tailleur en lin marron est étiqueté des Galeries Lafayette.

Le complet masculin de couleur sombre, composé de deux ou trois pièces de même tissu, s'impose au quotidien. Si les complets de la collection ne comportent aucune griffe, une quinzaine de gilets parmi les deux cents datés entre 1880 et 1920 portent des étiquettes, dont un celle de La Belle Jardinière. Enfin, un fonds unique de chemises d'homme provient de la maison Doucet et Fils Tailleurs, fondée par le grand-père du couturier Jacques Doucet et située rue de la Paix au milieu du XIXe siècle.

LA LINGERIE ET LES TENUES D'INTÉRIEUR : UN FONDS EXCEPTIONNEL

À la fin du XIXe siècle, les pièces de lingerie qui composent le trousseau se multiplient et deviennent plus raffinées. La collection en fournit un remarquable exemple : les pantalons fendus et les jupons de cotonnade se comptent

La collection de bas Milon

La maison de bonneterie de luxe Milon, située 235, rue du Faubourg-Saint-Honoré à Paris, a donné une centaine de bas au musée, quand elle a fermé ses portes en 1961. L'enseigne Milon Aîné date de 1825 environ, mais l'existence de la maison remonte à 1667. Sous le Second Empire, Milon a le titre de fournisseur breveté de l'empereur, et dans la seconde moitié du XIXe siècle, la maison reçoit de nombreuses récompenses aux expositions nationales et internationales. Elle travaille aussi pour le théâtre et le ballet. Il est difficile de dater avec certitude les bas de soie, fabriqués sur mesure, qui nous sont parvenus. En effet, ils ont presque tous été réalisés sur petit métier français, un procédé de fabrication datant du début du XIXe siècle. La maison Milon a ainsi refait, au XIXe siècle, des copies « à l'identique » de bas d'époque XVIIIe ou Directoire. Une vingtaine de pièces de la fin du siècle, documentées par l'album de dessins de modèles également conservé dans le fonds, témoignent d'une originalité de décor insoupçonnée : bas faisant allusion à des événements historiques ; bas en forme de bottine ou simulant un laçage ; bas avec doigts séparés…

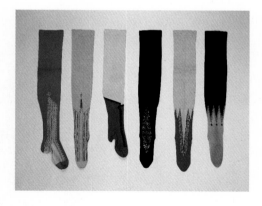

83. *Bas de femme en jersey de soie provenant de la collection Milon, 1830-1900, avec dessin à l'aquarelle et au crayon extrait de l'album de modèles, vers 1880. Le bas « à botte » violette peut être une réplique « à l'identique » de style Directoire, de même que celui de couleurs jaune moutarde et noire.*

par dizaines, ce sont les pièces les plus nombreuses. Viennent ensuite les chemises de jour, les cache-corsets et les beaux jupons en taffetas au frou-frou évocateur, alors que les premiers combinés culotte ou jupon font leur apparition. La lingerie est en cotonnade blanche, souvent en linon ou en batiste. Elle est brodée au plumetis, avec des garnitures de dentelle de Valenciennes aux fuseaux ou mécanique, ou de broderie anglaise.

Les peignoirs et les déshabillés n'échappent pas aux variations de la mode entre 1880 et 1910 : à la matinée de cotonnade blanche plissée et bordée de volants festonnés succède le déshabillé vaporeux incrusté de guipure. Celui en mousseline de soie rose pâle, créé par Jacques Doucet pour Sarah Bernhardt, est une pièce hors du commun. Pour recevoir chez elle, la maîtresse de maison porte ordinairement une robe d'intérieur. Au début du siècle, les robes d'hôtesse créées par les couturiers sont somp-tueuses : ce sont les *tea-gowns* dont la mode vient d'Angleterre et d'Amérique, où elles sont revêtues à l'heure du thé. Celles de la collection sont d'exécution plus simple, comme le modèle en satin gris broché de

84. *Gravure de catalogue des* Grands Magasins du Printemps, *printemps-été 1908, p. 52.*

85. *Gravure de costumes d'enfants, planche hors texte coloriée extraite du* Journal des demoiselles, *1890.*

feuillages gris et noirs, ouvert sur une bande de mousseline grise, garnie de dentelle noire en application.

LES VÊTEMENTS DE SPORT : UN FONDS À DÉVELOPPER

Du Second Empire, le musée possède un très rare ensemble féminin d'équitation, le plus ancien vêtement de sport de la collection, formé d'un cor-sage ajusté et d'un pantalon à sous-pieds en drap de laine bleu marine ; à cet ensemble s'ajou-tent quelques tenues d'amazone des années 1860-1910. La première tenue de gymnas-tique en toile de coton bleu marine gansée de blanc date de 1895-1900. La pratique du tennis, de l'automobile, du golf, du cyclisme ou les vacances au bord de mer imposent, dès le début du XXe siècle, une garde-robe sportive. Le fonds comprend trois vestes et jupes de tennis en lin blanc, un manteau de femme en tussor écru pour l'automobile, aux col et poignets bordés de velours bleu marine, qui fait pendant à un cache-poussière pour homme, en drap beige. Toujours pour la conduite automobile, une exceptionnelle combinaison-couverture a été réalisée en lainage et le fonds d'accessoires est riche d'une cinquantaine de voiles en mousseline, dont certains sont munis d'un dispositif coulissant pour s'adapter au chapeau ou d'une plaque de mica qui sert de lunettes, et d'une dizaine de paires de lunettes. L'unique maillot de bains de la Belle Époque est composé d'une combinaison et d'une jupe en lainage bleu marine.

MODES ENFANTINES

Pour le nouveau-né, les pièces de layette se comptent par dizaines. Brassières, pointes de cou, bavoirs, bonnets et chaussons sont de couleur blanche pour en faciliter l'entretien, en cotonnade ou en linon brodé au plumetis, garni de dentelle de Valenciennes aux fuseaux ou mécanique. Les vêtements d'apparat comme le cache-maillot, la douillette ou la robe de baptême sont plus soignés, utilisant parfois la soie.

Les petites robes blanches à manches courtes en linon brodé et plissé, garni d'entre-deux de dentelle, sont très nombreuses. Elles se portent avec des manteaux ou des capes à pèlerine en piqué blanc, à décor d'entre-deux de broderie anglaise ou de guipure mécanique, et avec des bonnets de lingerie qui se comptent par dizaines. Le costume de communiante, formé de la robe, du voile, de la ceinture et de l'aumônière, est représenté en plusieurs exemplaires, dont tous ne sont pas complets. À la fin du siècle, le costume marin est adopté par les petites filles et les petits garçons (*ill. 84 et 85*). En coton, en laine ou en jersey, uni ou rayé, il est à culotte courte ou à pantalon long, pour les garçons, et à jupe plissée, pour les filles. Blanc, bleu, rouge ou noir, il est revêtu en toutes circonstances et en toutes saisons. Mais la mode enfantine gagne ses véritables lettres de noblesse avec Jeanne Lanvin (1867-1946), qui débute en créant des modèles pour sa fille Marie-Blanche. La petite veste griffée de 1905, en toile imprimée d'inspiration XVIIIe siècle, a peut-être été réalisée pour elle.

86. *Brodequin de femme en lainage et cuir verts, vers 1840.*

LE XXᴱ SIÈCLE

87. *Tissu d'ameublement « La partie de tennis ». Toile de coton imprimée à la planche de bois,*
dessin de Raoul Dufy édité par la maison Bianchini-Férier, vers 1925, 120 x 130 cm.

88. Pendant la guerre. 88 a. *Robe du soir en satin de soie, fils métalliques, paillettes brodées sur tulle, « Callot Sœurs, automne-hiver 1916-1917 ».*
88 b. *Ensemble d'été composé d'une vareuse et d'une jupe en sergé de soie, « Jeanne Lanvin, été 1916 ».* La vareuse est ornée sur le bras gauche
d'un insigne d'inspiration militaire. 88 c. *Manteau de jour en velours de soie, « Lanvin », vers 1917.* L'aspect droit et strict de ce manteau, les épaulettes,
les brandebourgs, les boutons dorés et la martingale rappellent l'influence de l'uniforme militaire.

En définissant une silhouette féminine plus souple et anticonventionnelle, Paul Poiret se place, dès le début de sa production en 1903, à l'avant-garde des tendances de la mode. Il rend manifeste, tout en le contestant parfois, un désir de libérer le corps du carcan vestimentaire. Mais ses créations ne sont destinées qu'à un public restreint et il faut attendre le début de la Première Guerre mondiale pour que ce phénomène se démocratise. La confection, qui dans ses statuts s'est séparée de la couture en 1910, prend son essor pendant la guerre et contribue à la diffusion de tendances qui vont, elles aussi, dans le sens d'une libération du corps. Les vêtements fabriqués en série sont moins ajustés pour éviter les retouches. Les femmes qui ont de moins en moins de temps à consacrer à la confection de leur garde-robe, ou qui n'ont plus suffisamment d'argent pour faire réaliser leurs vêtements sur mesure, s'habituent à ces vêtements sobres, passe-partout, mais résistants, bon marché, pratiques et confortables.

Pendant la guerre, la femme est confrontée à l'exercice des responsabilités. Elle devient active et doit faire face à des exigences matérielles nouvelles : remplacer les hommes dans de nombreux secteurs d'activité, travailler, se déplacer. Sa garde-robe se modifie. D'une part, la conception même des vêtements se fait plus utilitaire, de l'autre, les usages admettent une simplification du rituel vestimentaire.

La mode de guerre est plus fonctionnelle. Elle s'inspire des tenues spécifiques créées dès la fin du XIXᵉ siècle pour les loisirs et pour le sport – notamment pour l'automobile. La mode citadine retient de cette production son aspect confortable ainsi que certains détails pratiques : rationalisation des systèmes de fermeture qui délaissent les lacets au profit d'agrafes et de crochets, ampleur de la jupe et, émergence des poches sur l'extérieur du vêtement. Pour permettre la marche, les jupes s'élargissent donc dans le bas, mais surtout, raccourcissent au dessus de la cheville, et parfois même, à mi-mollet comme l'atteste une robe d'après-midi violette à rayures blanches de Guérin-Sœurs de 1914. Les vestes qui composent un ensemble avec la jupe deviennent plus amples et ne sont plus ajustées sur la poitrine. Elles se ceinturent lâchement à la taille par une large bande de tissu. Perdant leur aspect cintré, ces formes moins définies favorisent l'abandon du corset au profit d'un sous-vêtement plus souple, par exemple, le corset-gaine. Ainsi cette période apparaît-elle comme une transition dans l'histoire de la mode : contrainte par la nature de ses activités à modifier sa garde-robe pour la rendre plus confortable et plus pratique, la femme, durant la Première Guerre mondiale, transforme progressivement sa silhouette par l'adoption de sous-vêtements moins contraignants et le port de vêtements plus éloignés du corps.

Dès le début des hostilités, l'activité mondaine se ralentit. Les femmes s'affranchissent et toutes les conventions sociales s'assouplissent. Elles se font plus tolérantes, notamment en matière de bienséance

Pamela
Golbin

Catherine
Ormen

vestimentaire. Les collections mais aussi l'iconographie contemporaine le prouvent, réduisant les formes d'habillement à deux catégories.

La première concerne les tenues de jour, parmi lesquelles se trouvent les manteaux, les tailleurs et les robes, qui sont les plus nombreuses. Les formes sont droites, à l'exception de quelques rares « crinolines de guerre » qui arrondissent les hanches par l'adjonction d'un rembourrage de crin, et les coloris sombres. S'il semble normal que le noir domine en cette période où le deuil touche la plupart des familles, il est souvent relevé par une ornementation d'inspiration militaire,

89. *Tissu d'ameublement, toile de coton imprimée, 1917, 164 x 138 cm.*

distingue des vraies tenues professionnelles par son matériau constitutif – un sergé de soie à la place de l'habituelle toile de coton – et par son ornementation – soutache bleu ciel et emblème d'inspiration militaire mais dénué de signification.

Les habits de soirée constituent la seconde catégorie. Si la mode est stricte et utilitaire de jour, elle est résolument frivole la nuit. Elle traduit d'autres aspirations : une volonté de se défouler, d'oublier les réalités de la guerre, un désir de séduire et de se faire remarquer. Autant d'attitudes qui annoncent l'euphorie de l'après-guerre et façonnent progressivement la « garçonne ».

qui fait un large usage de glands en passementerie, d'épaulettes et de brandebourgs (*ill. 88 c*). L'influence de l'armée se retrouve aussi dans le développement rapide des uniformes civils qui reprennent la formule du costume-tailleur, sans doute alors la mieux adaptée pour une femme active. Mais l'infirmière demeure la figure emblématique de cette période de guerre. Aux capes en drap de laine bleu marine, aux blouses qui signalent leur fonction par un brassard, ou encore aux voiles discrètement siglés, s'oppose la tenue d'une élégante fantaisie imaginée, en 1916, par Jeanne Lanvin (*ill. 88 b*) : si dans sa structure elle ressemble à une tenue normale d'infirmière, elle se

Les robes, comme chez Callot Sœurs (*ill. 88 a*), sont richement ornées de dentelles ou de broderies. La plupart présentent un haut simplifié, constitué d'un dos et d'un devant identiques se terminant en deux bretelles triangulaires. Ce haut, plutôt flottant, est prolongé par une jupe plus ou moins ornée mais suffisamment ample pour permettre la danse. Dès 1916, la crinoline de guerre fait fureur pour le soir. Le haut, muni de deux bretelles ou à encolure bateau, est droit et ajusté jusqu'aux hanches et la jupe prend toute son ampleur de part et d'autre. Jeanne Lanvin réactualisera ce modèle en 1919. Sa « robe de style » sera la grande rivale des robes-chemises de la garçonne.

Mais quelles qu'elles soient, toutes ces robes présentent des caractéristiques communes : elles affichent un luxe ostentatoire et ne craignent pas de dénuder le cou, les épaules et les bras, au moyen de profonds décolletés en V. Si ce déshabillage est admis dès avant-guerre, celui des chevilles constitue la grande nouveauté de cette époque : après des siècles d'une vie cachée, elles osent désormais se montrer sans vergogne.

Les vêtements pour femmes, hommes et enfants et les accessoires créés de 1914 à nos jours représentent plus de la moitié des collections conservées au musée de la Mode et du Textile. L'évocation des quelque 7 000 vêtements féminins compris dans cette période s'effectuera en trois temps. L'entre-deux-guerres, voit d'abord la consécration de la garçonne, jeune et affranchie, puis, avec les années 1930, celle de la femme épanouie, à la garde-robe complexe et raffinée. Avec la Seconde Guerre mondiale s'ouvre un second chapitre de cette histoire : à la pénurie, aux restrictions de la guerre succède la production pléthorique de la mode des années 1950 largement dominée par le New Look. Enfin, à partir des années 1960, les collections retracent les mutations importantes survenues dans le système de la mode : l'accélération de la démocratisation, l'individualisation des tendances, la diversification des sources créatives et des secteurs de production.

90. Du simple au sophistiqué. 90 a. *Robe du soir en panne de velours de soie façonnée noir et blanc, à motif damier, « Jeanne Lanvin, hiver 1935-1936 ».*
90 b. *Robe du soir entièrement brodée sur tulle de paillettes bicolores, vers 1925.* En 1925, la robe du soir est courte, droite, d'une construction simplifiée
qui s'efface sous la richesse – et le poids – de l'ornementation. Elle dissimule la poitrine, la taille et les hanches et dénude le cou, les bras et les jambes. Dix ans plus tard,
la robe du soir est longue. L'emploi de matériaux légers et une construction à la fois savante et discrète procurent à cette robe moulante une extrême fluidité.

DU SIMPLE AU SOPHISTIQUÉ
1919-1939

Un tiers des collections de costumes féminins du XXᵉ siècle conservées au musée de la Mode et du Textile concerne la période de l'entre-deux-guerres : plus de 800 robes, des manteaux, des ensembles ou des éléments séparés de garde-robe auxquels viennent s'ajouter une très grande variété d'accessoires.

Les vêtements masculins sont moins nombreux, ce qui rend la restitution de silhouettes complètes plus difficile. Les modes de l'enfance s'évoquent d'une part, par un grand nombre de tenues de cérémonie, et de l'autre, pour le quotidien, par des trousseaux de layette, des robes, des tabliers, des manteaux et des culottes de garçonnets.

L'intense période de défoulement qui succède à la Première Guerre mondiale, continue de révolutionner les canons de l'élégance d'avant-guerre. Dès le début des années 1920, les rondeurs féminines se dissimulent sous des vêtements droits, qui définissent une silhouette très graphique, presque bidimensionnelle. Les tenues de soirée, très bien représentées au sein des collections, offrent un panorama presque exhaustif de l'évolution des modes entre 1919 et 1939.

Vers 1928, une transition s'opère : le vêtement, de flottant, devient moulant ; la coupe se fait plus complexe, permettant la révélation des formes du corps. Cette tendance, qui coïncide avec une re-codification de l'élégance vestimentaire, s'affirmera tout au long des années 1930.

L'ÈRE DE LA GARÇONNE
1919-1928

En 1921 paraissait un roman de M. Prévost, *Les Don-Juannes*, tiré à 300 000 exemplaires. L'année suivante, Victor Margueritte publiait *La Garçonne*, dont le tirage a très vite atteint un million d'exemplaires.

En définissant un archétype romanesque – mais bien vivant –, les auteurs cristallisaient les préoccupations féminines de l'après-guerre. Il s'agissait de confirmer les acquis de la guerre en continuant de s'affranchir de la domination masculine et de la pesanteur des conventions sociales. La mode traduit ces aspirations par une allure masculine produite autant par la configuration des sous-vêtements que par la coupe des vêtements. Viennent s'y ajouter les cheveux courts et, pour le corps, une plus grande liberté de bouger qui s'exprime par une vie plus active, la pratique du sport et celle de la danse, fox-trott, tango ou charleston.

Plus de 150 robes du soir (datées de 1919 à 1924) illustrent le climat d'euphorie de l'après-guerre. Elles retracent la simplification du costume féminin déjà amorcée pendant la guerre : les conventions admettent désormais que la robe « habillée » soit courte. Par ailleurs, la structure même de la robe se réduit à l'essentiel : deux panneaux de droit fil assemblés par une couture aux épaules formant deux larges bretelles qui encadrent un décolleté simplement échancré en arrondi sur le devant et sur le dos.

91. *Soutien-gorge en coton travaillé au crochet, coulissé sur le devant, vers 1929.* Utilisés pour le sport, ces soutien-gorges s'accompagnaient de culottes gainantes. Ils expriment les tendances du moment : le sens du confort, l'esprit pratique et le goût de la simplicité. Un modèle en soie, de forme similaire, créé par Elsa Schiaparelli en 1929, était destiné à être porté sous le costume de bains.

92. *Chapeau « Madeleine Panizon, Paris »,
broderies en cordonnet brun et fil d'or, vers 1925.*

93. *Chapeau « Madeleine Panizon, Paris »,
laine et crin, vers 1925.*

94. *Chapeau « Madeleine Panizon, 8 rue de Penthièvre à Paris »,
soie lamée, vers 1925.*

Ces robes droites sont lâchement ceinturées au niveau des hanches ; elles sont fendues sur les côtés et sont souvent agrémentées de pans traînants fixés aux épaules ou aux hanches. Enfin, leur longueur oscille entre le haut de la cheville et la mi-mollet.

En 1924, comme l'atteste la presse de l'époque, les robes du soir demeurent droites, mais ne sont plus suspendues que par deux très fines bretelles.

Elles offrent un décolleté plongeant au-dessus des seins et s'enfilent par la tête, oubliant les agrafes, les boutons et les pressions d'avant-guerre. Ces robes privilégient les femmes qui ont peu de poitrine et nécessitent, pour celles qui en ont, le port d'un corset-gaine plat, ou d'un soutien-gorge bandeau (*ill. 91*). Toutes, elles accentuent le processus de dénudation du corps en révélant les bras et le bas des jambes. Les bas acquièrent de l'importance. Paradoxalement, en cessant d'être de simples sous-vêtements, ils perdent leurs couleurs et leurs décors brodés au profit d'une teinte chair, plus neutre, qui se rapproche de celle de la peau.

Les recherches et les effets de coupe – sauf chez Madeleine Vionnet – ont tendance à s'effacer devant la richesse de l'ornementation : velours imprimés ou crêpes partiellement rebrodés des robes de Callot Sœurs, satins lamés et brochés agrémentés de bordures en fourrure pour Poiret, ou encore broderies qui couvrent intégralement les robes de couleurs vives et scintillantes. Une centaine de robes en mousseline brodée au crochet (Lunéville) évoquent l'essor de cette technique durant les années 1920. La transparence de la mousseline permet d'accomplir le travail de broderie sur l'envers de l'ouvrage, accélérant ainsi sa réalisation. Mais ces robes sont très fragiles et, malgré un fil de renfort qui zigzague sur le haut des bretelles, elles se sont souvent détériorées au niveau des épaules sous l'effet de leur propre poids. Les accrocs forment d'importantes lacunes : un fil tiré équivaut à la disparition d'une rangée de perles ou de paillettes. La transparence des robes impliquait l'usage d'un fond de robe sur lequel la griffe était généralement apposée. Les fonds de robe ayant disparu dans 60 % des cas, une grande partie de cette production du début des années 1920 se trouve ainsi privée d'indices de provenance et reléguée dans l'anonymat.

Réminiscence des modes de 1840, la robe de style, qui s'inscrit dans la ligne des crinolines de guerre mais dont le concept a été modernisé par Jeanne Lanvin, vient, au début des années 1920, concurrencer les robes droites. En faille, en taffetas ou en satin, ce type

Art, décoration et mode

95. *Croquis du modèle «Phœbus», Elsa Schiaparelli, collection «Cosmigne», automne-hiver 1938-1939, dessin à l'encre sur papier, rehauts de gouache.*

96. *Liasse d'échantillons en crêpe de Chine imprimé, «Tissus simultanés nᵒ 48», Sonia Delaunay, 1924.*

Dans le Paris de l'après-guerre, la mode, l'art et ses commanditaires se rapprochent, partageant un même goût pour l'avant-garde. Les couturiers sont tour à tour mécènes et créateurs de formes nouvelles, tandis que se multiplient les interventions d'artistes dans le domaine de la mode.

Comme Doucet, le premier acquéreur des Demoiselles d'Avignon de Picasso, Paul Poiret favorise les arts de son temps, considérant qu'il n'y a pas de domaine esthétique où le couturier n'ait à exercer son talent. Jusqu'à sa ruineuse participation à l'exposition des Arts décoratifs de 1925, il affirme la nécessité d'une union entre la mode et le cadre de vie, comme le montrent les échantillons textiles qui proviennent des ateliers Martine. Le fonds Poiret compte une cinquantaine de créations vestimentaires qui illustrent l'activité de Poiret de 1907 à la fin des années 1920.

Jeanne Lanvin, dont la maison de couture connaît dès 1920 une fulgurante ascension, confie à Albert Armand Rateau la direction d'un département consacré à la décoration, et lui laisse aménager sa chambre et sa salle de bains (conservées au musée des Arts décoratifs). J. Suzanne Tabot commande à Eileen Grey une partie de son mobilier, Madeleine Vionnet s'adresse à Georges de Feure, Lalique et Boris Lacroix pour la décoration de sa maison de couture, tandis que la modiste Agnès fait travailler Dunand. Elsa Schiaparelli, dès son arrivée à Paris en 1922, s'immerge dans le monde artistique. Plus tard, elle élaborera avec les surréalistes de fructueuses collaborations que retracent les créations et les archives de l'UFAC.

Enfin, des artistes s'intéressent à la production textile et vestimentaire : Raoul Dufy fournit des modèles de textiles exclusifs pour Poiret, puis, pendant toutes les années 1920, pour la maison Bianchini-Férier. Sonia Delaunay*, suivant les principes de l'orphisme qu'elle avait définis avec son mari Robert Delaunay, s'attache à la création de chartes de couleurs, de textiles et de vêtements «simultanés» dont la diffusion est en partie assurée par Jacques Heim.

97. *Manteau de jour en toile de lin, Sonia Delaunay, vers 1925.*

*La peinture résolument abstraite de Sonia Delaunay est à l'origine de ses recherches dans les domaines de la mode, de l'impression textile et de la décoration. En 1911, elle réalise ses premières créations simultanées en se référant aux théories des contrastes de couleurs définies par Chevreul. Ses premiers vêtements datent de 1912 et sont bientôt suivis par la création de perruques de couleurs, en 1914. De 1918 à 1935, elle renonce à toute production artistique pour se consacrer à la décoration. Elle fonde son propre atelier en 1924, et présente en 1925, avec Jacques Heim, la « Boutique simultanée » à l'Exposition des arts décoratifs. Manteaux, robes, accessoires et objets de décoration s'y trouvent réunis, envahissant l'espace de couleurs vives et de formes géométriques. En 1930, Sonia Delaunay cesse cette activité pour se consacrer de nouveau à la peinture.

98. Les Années folles. 98 a. *Robe du soir en velours de soie mauve, « Callot Sœurs », 1925. 98 b. Robe du soir en satin orné de dentelle, mousseline de soie brodée de fils métalliques et de paillettes polychromes, « Callot Sœurs – Hiver 1922-1923 ».*

98 c. *Robe du soir en étamine brodée de fils métalliques, de fines perles blanches et de strass, vers 1925. 98 d. Robe du soir en satin de soie, tulle brodé de paillettes et strass, « Quinet », 1922. 98 e. Manteau du soir en crêpe de soie lamé or et argent, « Lenief », vers 1925. Le col et les poignets sont ornés de renard.*

99. Boa et éventails en plumes, années 1920. *Plumes d'autruche oranges ; plumes d'autruche vertes ; plumes de paradis multicolores ;*
plumes taillées roses pâles ; plumes d'autruche roses avec incrustation de tulle doré ; tour de cou en plumes de cygne bleues.
Les plumes teintes de couleurs vives donnèrent lieu, au cours des années 1920, à la création de nombreux accessoires qui accompagnaient la mode du soir.
Au cours des années 1930, la plume se retrouvera de manière privilégiée dans la confection de petites capes du soir.

de robe présente un corsage ajusté, sans manches, et une jupe froncée aux hanches, longue et évasée. Deux exemples emblématiques figurent dans le très riche fonds de créations de Lanvin (95 modèles, de 1910 à nos jours) : une robe de 1919, en satin noir, dont la tunique-sac est brodée de perles de jais en arceaux ainsi qu'une robe en taffetas or, ornée, sur les hanches, de roses en étoffe assortie.

Les robes du soir s'accompagnent de manteaux dont l'opulence souligne l'origine prestigieuse : crêpe lamé or et argent pour un manteau de Lenief (*ill. 98 e*), velours clouté de satin marron ou crêpe noir brodé de strass avec un col et des poignets en raphia vert menthe pour des créations de Jenny, satin broché, pour celles de Poiret. Tous ces manteaux ont une forme très simple, droite, ample et courte. Les dos plongeants et les manches, de forme kimono ou chauve-souris, donnent de l'aisance au vêtement. Bord à bord ou légèrement croisés et fermés par un ou plusieurs gros boutons, ils s'agrémentent aussi de fourrure et présentent souvent un col boule qui encadre le visage.

1925 marque l'apogée du règne de la garçonne. La robe est raccourcie au genou. Jamais elle n'avait été aussi courte comme le prouve une robe de Chanel en crêpe beige brodé en oblique de paillettes or, de perles et de cabochons multicolores. Pour compenser sa nouvelle longueur, la jupe est mouvante. Elle se compose de panneaux froncés, de plis et de godets ou encore, comme dans cet exemple, d'un jeu de volants. La robe peut aussi être une simple chemise, ornée de franges et entièrement recouverte de broderies voyantes.

L'ornementation parfois très ostentatoire s'accorde au goût pour les formes géométriques et les couleurs tranchées qui prédomine alors dans les arts décoratifs. Les mêmes motifs, les mêmes couleurs, et souvent, les mêmes matières, se retrouvent sur les accessoires qui parachèvent ces silhouettes de garçonnes : les bandeaux de tête, les sacs pochettes, ou les chaussures en étoffe brochée à brides et talon bobine or ou argent. La panoplie du soir se complète de sautoirs, de longs fume-cigarettes,

de boas et d'éventails en plumes de couleurs vives (*ill. 99*), généralement montés sur Bakélite. Tous figurent en grand nombre au sein des collections.

Madeleine Vionnet occupe une place à part dans la mode, et au sein des collections. La richesse de ce fonds est tout à fait exceptionnelle : outre, les archives de la maison relatives à sa période d'activité, de 1918 à 1939, il compte, plus de 280 créations, dont 130 proviennent de sa propre donation effectuée en 1952. Tous ces modèles mettent en évidence la perfection de son art de la coupe et l'utilisation qu'elle fit du biais dès le début des années 1920. Des robes illustrent les différentes facettes de son talent. Elles sont parfaitement géométriques, faites de pliages, d'assemblages de carrés par la diagonale ou de panneaux rectangulaires. Elles sont brodées par la maison Lesage, telle la célèbre robe rouge aux petits chevaux et nécessitent souvent l'élaboration de techniques nouvelles. Ce sont encore des robes totalement épurées dont l'influence sera prédominante sur la mode des années 1930.

À partir de 1928, les recherches des couturiers se diversifient et les créations deviennent plus hétérogènes : plusieurs silhouettes coexistent. Les productions somptueuses de Lanvin, de Worth, de Callot Sœurs ou de Mainbocher tranchent avec les créations dépouillées et pourtant techniquement très complexes de Chanel ou de Vionnet. Les robes se compliquent et surtout rallongent beaucoup. Des pans asymétriques, des traînes viennent profiler la silhouette en l'étirant, tandis que la taille tend à retrouver son emplacement naturel. La poitrine, après avoir été volontairement occultée pendant une dizaine d'années, retrouve du volume, annonçant le renouveau d'une mode plus sensuelle.

UNE MODE DE JOUR SIMPLIFIÉE ET PLUS SPORTIVE, 1919-1929. Les collections de robes, de manteaux et d'ensembles de jour des années 1920 sont à l'image d'un rituel vestimentaire qui se simplifie. Beaucoup de ces vêtements proviennent des grandes donations consenties au profit du musée, notamment les donations Saxcé, Le Bec, Brès, Granet, qui comprennent à elles seules plusieurs centaines de pièces, parmi lesquelles se côtoient des créations de grande qualité et des vêtements d'une facture plus modeste.

La mode de jour des années 1920 se démarque de la mode d'avant-guerre par un souci de confort et par l'aisance qui est donnée au mouvement. Les vêtements conservés dans les collections présentent des caractéristiques stylistiques et techniques communes : la sobriété de leurs lignes et la coupe souvent « à plat » assortie d'un travail très élaboré de découpes géométriques. Une quarantaine de manteaux trois-quarts, droits, à manches kimono et dos plongeants, une centaine de robes droites, à encolure arrondie, bateau ou en V, qui ont en commun une taille basse à incrustation horizontale, et des jupes relativement longues, fendues des deux côtés, autant de modèles parmi lesquels se retrouvent des créations de Lanvin, de Lucien Lelong, de Callot Sœurs et de Poiret.

Les albums d'échantillons de textiles (*ill. 100-101*), pour l'hiver et la demi-saison, laissent supposer que l'usage du jersey (qui s'était répandu pendant la guerre sous l'influence de Chanel) allait en se développant. Une veste de Lanvin en jersey de laine chiné beige à col droit et poches appliquées, fermée par deux boutons est une des rares pièces à être parvenue dans

100. *Album d'échantillons, tissus d'habillement de la maison J. Claude Frères et Cⁱᵉ, Paris. Échantillons pour robes, automne 1925, tome II.*

les collections. Presque aussi rares sont les vêtements en soie artificielle. En revanche, les créations en crêpe de laine ou de soie, uni ou à larges imprimés géométriques sont nombreuses. Pour l'été, la soie, le lin et le coton écru, demeurent les matières de prédilection. Les étoffes sont souvent ornées de broderies agencées géométriquement.

Des pièces d'une grande rareté et en parfait état de conservation agrémentent cette collection. La production très novatrice de Chanel est illustrée par un manteau à col châle, en crêpe noir travaillé en découpes horizontales aussi bien à l'envers qu'à l'endroit. Il est doublé de crêpe blanc et noir et date de la fin des années 1920. Des ensembles manteaux et robes de Lanvin et de Callot Sœurs d'une étonnante similitude, en crêpe marine ou noir rehaussé de blanc, un manteau rose de Jenny à motif géométrique illustrent encore la grande sobriété de la mode de jour.

Outre cette mode de ville, les collections recèlent des créations rarissimes destinées aux sports et aux loisirs. Symboles de l'essor des activités de plein air et de l'attitude révolutionnaire des femmes qui s'exposent désormais au soleil, ces vêtements plus simples, avec leurs accessoires, ont considérablement influencé la mode citadine. Il s'agit de

101. *Album d'échantillons, tissus d'habillement de la maison J. Claude Frères et Cⁱᵉ, Paris. Échantillons pour manteaux, automne 1925, tome III.*

quelques robes de tennis ainsi que d'une dizaine de maillots de bains, bi ou tricolore avec des ceintures tricotées en trompe l'œil (*ill. 102*). Les ombrelles, les casques et les lunettes d'automobilistes, les « casques » de yachting sont parmi les accessoires les plus significatifs de cette période. Enfin, des pantalons apparaissent sous diverses formes : pyjama de plage dont la mode se répand au cours des années 1920 à l'instigation de Chanel, pantalons à pont inspirés des pantalons de marin ou combinaison pantalon sans manches, autant d'éléments tout à fait novateurs au sein de la garde-robe féminine des années 1920. Leur nombre ne cessera d'augmenter au cours de la décennie suivante.

102. *Costume de bains en jersey de laine, «Jantzen», vers 1929.*

L'ÈRE DE LA « FEMME ÉPANOUIE » 1929-1939

Avec la crise économique et le désarroi social du début des années 1930, l'élégance devient synonyme de discrétion. La mode ostentatoire des années folles fait place à un extrême raffinement qui se ressent jusque dans les finitions des vêtements et de la lingerie.

Le corps ne se dissimule plus. La coupe « à plat » est abandonnée au profit d'une coupe en trois dimensions qui met le corps en valeur (*ill. 105-106*). Mais le vêtement moulant impose de nouvelles contraintes à la femme : une gestuelle posée,

103. *Costume de bains en jersey de laine, «Lola Prusac», vers 1938.* Une fermeture Éclair au creux du décolleté dans le dos resserre la taille.
104. *Costume de bains pour homme en jersey de laine, «Jacques d'Halluin», vers 1935.*

mesurée, et un corps qui se doit d'être convenablement gainé.

Les photographies publiées dans la presse, la prolifération des manuels de savoir-vivre, et la diversification des objets témoignent ensemble du cloisonnement des activités qui s'opère de nouveau au sein de la société bourgeoise. Retrouvant des pratiques du siècle précédent, une subtile différenciation des toilettes féminines s'instaure de nouveau selon l'heure, le lieu et le milieu. Ainsi les robes d'intérieur de Schiaparelli sont-elles faites pour rester chez soi, les tailleurs de Creed ou de Robert Piguet se portent l'après-midi et les robes de Lucien Lelong pour le bridge et le thé. Il y a des robes pour le dîner, comme celles de Piguet ou de Martial & Armand, pour la garden-party – elles sont souvent en mousseline ou en crêpe imprimé, comme la célèbre robe aux papillons de Schiaparelli accompagnée de son manteau de crin noir –, ou encore pour le bal. Il y a enfin toutes les tenues pour le sport, griffées par exemple « Lanvin Sport » et celles pour les vacances, combinaisons-pantalons ou pyjamas de plage.

LA MODE DU SOIR DES ANNÉES 1930 : QUINTESSENCE DE SENSUALITÉ. La coupe en biais qui permet de modeler le tissu sur le corps, les recherches d'équilibre et de drapés qui soulignent et accompagnent le mouvement se généralisent dès le début des années 1930, transformant la structure même du vêtement en une véritable ornementation. La robe du soir descend à la cheville, se prolonge parfois d'une traîne, et couvre le corps de satin, de crêpe, de mousseline, de dentelle ou de velours, désormais produits en grande largeur pour répondre aux exigences de la coupe. Si les bras sont presque toujours nus, l'accent est mis sur le décolleté du dos, lequel se découvre parfois jusqu'au creux des reins, comme dans les créations « dos nu » de Jean Patou, de Paquin, de Maggy Rouff, d'Henriette Boudreaux, ou encore de Callot Sœurs.

À partir de 1934, les taffetas moirés, la faille et l'organdi, plus rigides, permettent d'autres audaces structurelles. Les jeux graphiques, jusqu'alors exprimés par le travail même des matériaux (découpes et nervures sur du satin laqué, par exemple), par des oppositions de texture (mat et brillant) ou de couleur (noir et blanc), se traduisent par un travail d'opposition de rayures, de pois et de losanges, comme la célèbre création de Vionnet en panne de velours de soie à losanges dégressifs noirs et blancs de 1938, ou une robe de Lanvin à motifs incrustés (*ill. 90 a*).

En 1937, la mode du soir voit naître le goût du joli et de l'inutile, qui se répand en une frénésie d'ornements sur des jupes plus amples, d'inspiration romantique, souvent en dentelle. Les créations les plus représentatives de cette tendance sont celles de la mode « Gitane » lancée par Gabrielle Chanel : une robe longue en dentelle rouge, ou un autre exemple à jupe très ample, entièrement garnie de bandes de dentelle noire et blanche sans oublier une somptueuse création de Paquin de 1939 : boléro et jupe ample, velours noir et fleurs pour une robe d'inspiration tolédane.

L'apport d'Elsa Schiaparelli à l'évolution de la mode des années 1930 est fondamental. D'une grande indépendance, elle affirme sa singularité par les thématiques qu'elle développe. Une cinquantaine de modèles données en 1966 par l'une de ses meilleures clientes et « jockey* », madame Lopez-Willshaw, ou, en 1973, par Schiaparelli elle-même, évoquent le talent de cette créatrice d'exception : célèbres boléros et vestes brodés par la maison Lesage sur les thèmes du cirque ou des instruments de musique, redingote de drap noir aux poches saucières, ou encore ensemble pantalon du soir.

105. *Robe de jour en crêpe de soie brodé de fils ton sur ton et de perles rouge, « Jean Patou », vers 1925.* 106. *Robe de jour en velours de soie, « Paillard », vers 1930.* Deux conceptions différentes de la coupe s'opposent ici. D'une part, une construction simplifiée qui se réduit à l'assemblage de deux panneaux de droit-fil. Pas de manches, pas de col, pas même une pince de poitrine, mais une surface lisse qui favorise le développement d'une broderie ornementale. D'autre part, une robe construite en volumes, par un jeu de découpes, de fronces et de nervures qui permettent d'épouser les formes du corps. Si la première, grâce à sa simplicité d'exécution, peut être aisément copiée, la seconde, en revanche, nécessite un savoir-faire qui assure la pérennité des maisons de couture au cours des années 1930.

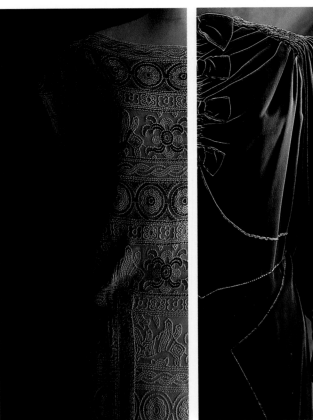

*Les couturiers jouent sur le potentiel dynamique et médiatique de leur clientèle : des femmes du monde, telles la comtesse de Montgomery pour Chanel et Patou, la comtesse Jean de Polignac pour Lanvin, madame Lopez-Willshaw pour Schiaparelli et Charles James, reçoivent en échange de la publicité qu'elles font sur leur tenue, l'attribution annuelle d'un certain nombre de modèles. Cet ingénieux procédé de diffusion perdurera bien après la Seconde Guerre mondiale. Grâce à la générosité de ces donatrices, des éléments de ces garde-robes prestigieuses se retrouvent au sein des collections.

107. Extraits des catalogues de la *Succursale de luxe de la Samaritaine et du Bazar de l'Hôtel-de-Ville*, 1936.

LA MODE DE JOUR. Elle est représentée par plus de 200 robes, une cinquantaine de manteaux et une cinquantaine d'ensembles, complétés par une grande variété d'accessoires : chapeaux de Caroline Reboux ou de J. Suzanne Talbot, chaussures de Georgette ou de Perugia, gants de Schiaparelli et très nombreux sacs en forme de pochette.

La crise économique incite à plus de discrétion dans la mode de jour. Si les couleurs peuvent être vives, les matières sont sobres, avec une prédilection marquée pour le crêpe de soie ou de laine, et une timide utilisation de l'acétate. Les imprimés sont plutôt discrets et d'une très grande variété : compositions florales, petits motifs répétitifs ou encore imprimés géométriques bicolores. Les robes des années 1930 présentent un certain nombre de points communs : le haut est près du corps ; la taille, marquée par des pinces ou des nervures, est fréquemment ceinturée ; le bas des robes s'évase par l'emploi du biais, de quilles, de plis ou de godets, tandis que les manches constituent le terrain privilégié d'expérimentations variées. Les tailleurs de lainage définissent une silhouette encore plus stricte et structurée. Ils sont épaulés, la veste est ajustée, la taille appuyée, soulignée par

Organisation de la profession

En 1937, la couture – par opposition à la confection – habille 75 % de Françaises. La haute couture, qui s'adresse à cette époque à 20 000 clientes de par le monde, dicte les tendances de la mode. Elle regroupe les plus prestigieuses maisons de couture qui présentent, deux à quatre fois par an, à la presse, aux acheteurs et à la clientèle particulière, des collections constituées chacune d'environ 300 modèles. Les prototypes sont ensuite répétés aux mesures des clientes et parfois adaptés selon leurs demandes.

Les maisons de couture de moindre notoriété ainsi qu'une myriade de couturières de quartier forment le reste de la profession. En marge de ces professionnels, la population féminine est susceptible de suivre à domicile les tendances de la mode abondamment diffusées par la presse.

La structure des collections pour les années de l'entre-deux-guerres s'identifie à celle de la profession : un tiers de créations comportant des griffes prestigieuses pour deux tiers de vêtements dont le style et la technique montrent l'influence de la haute couture. Reflet des pratiques de consommation d'une clientèle aisée, les collections comprennent très peu de vêtements de confection industrielle. En revanche, quelques très rares exemplaires d'une production qui préfigure le prêt-à-porter (originaires des maisons Heim et Lelong notamment), mettent en évidence les différentes tentatives menées par les couturiers pour démocratiser la mode et relancer la consommation au lendemain de la crise de 1929.

108 a. *Griffe «Jeanne Lanvin, Paris-Hiver 1931-1932 »,* placée sur la couture intérieure d'une robe du soir.
108 b. *Griffe «Madeleine Vionnet »,* placée sur la doublure d'une cape courte du soir.

109. *Veste du soir en velours de soie brodé de fils métalliques, de perles et de strass, «Elsa Schiaparelli, printemps 1938».* Les broderies de la maison Lesage forment des épis de blé et des fleurs qui dissimulent deux poches plaquées. Les cinq boutons sont formés de trois petites fleurs rouge vif incluses dans de la résine.

110. Robes du soir des années 1930. 110 a. *Robe du soir en crêpe marocain de soie, « Vionnet », hiver 1935-1936.*
110 b. *Pyjama du soir en crêpe marocain de soie, « Augustabernard », vers 1930.* Apparu dans le courant des années 1920, le pyjama de plage
devient au cours des années 1930 un élément essentiel de la garde-robe estivale sur la Côte d'Azur. 110 c. *Ensemble du soir, robe fourreau longue et cape courte,
en satin de soie lamé argent brodé de perles or, Mainbocher, 1936.* 110 d. *Robe du soir en dentelle rouge, « Chanel », vers 1930.*

111. Modèles de jour des années 1930. 111 a. *Ensemble de jour composé d'une veste, d'un corsage et d'une jupe, en crêpe de soie vert,*
« *Germaine Lecomte* », *modèle* « *Primavera* », *vers 1935.* 111 b. *Tailleur composé d'une veste et d'une jupe en lainage chiné, d'une blouse en twill de soie*
imprimé de dessins géométriques en forme d'étoiles bleues, rouges et noires et d'une ceinture en cuir havane, « *Paquin* », *printemps-été 1937.*

une ceinture tandis que les hanches sont arrondies par des basques. La jupe, plus fluide, voit sa longueur régulièrement osciller aux alentours de la mi-mollet. Les tailleurs, dont ceux de Paquin (*ill. 111 b*), de Lelong, de Piguet ou de Creed & Cie, rivalisent d'inventivité sur les cols, les poches, l'emplacement et la constitution des boutons. Parmi eux se distingue un exceptionnel tailleur de Chanel. Le motif géométrique d'Iliazd est exécuté en jersey chiné blanc, beige, marine et jaune. Datant du début des années 1930, il préfigure ce que sera la production de Mademoiselle Chanel durant les années 1950 : un tissu souple, un corsage sans manches assorti à l'ensemble, une veste sans boutonnage, des poches toujours utiles et une jupe qui n'entrave pas les mouvements.

112. *Manteau d'enfant en laine orné de trois orangers en feutrine, Lanvin, 1926.*
113. *Manteau d'enfant en lainage chiné noir et blanc, « Bambrury », vers 1935.*
Le col et les poignets sont recouverts de velours de soie noir. La taille est cintrée au dos par une martingale.
Les exemples de mode enfantine sont nombreux : manteaux, robes, culottes, tabliers et trousseaux entiers de layette.
Ils sont complétés par plus d'une centaine de tenues de cérémonie : des robes de baptême ou de communion
qui rivalisent de raffinement et de préciosité et des tenues de demoiselle d'honneur
dont la vogue naît au cours des années 1920. Deux robes identiques, griffées « Lanvin », sont ainsi conservées au musée.

114. De la pénurie à l'opulence. 114 a. *Tailleur constitué d'une veste en shantung naturel et d'une jupe en laine, Christian Dior, modèle « Bar », printemps-été 1947.* La jupe plissée a une circonférence de 14 mètres. **114 b.** *Tailleur en tweed de laine et fibranne chinés, « Lucien Lelong », hiver 1943-1944.* Une fermeture à glissière métallique resserre la taille de la jupe. L'opulence du tailleur de Dior de 1947, ses épaules tombantes et rondes, la taille soulignée par l'exagération de l'arrondi des hanches, l'ampleur et la nouvelle longueur de la jupe font oublier le caractère utilitaire, étriqué et masculin de la silhouette de guerre : épaules carrées, hanches gommées, jupe courte et droite.

DE LA PÉNURIE À L'OPULENCE
1940-1960

L'évolution de la silhouette durant les années 1940 et 1950, reflète particulièrement bien la situation de l'économie française qui passe d'une période d'extrême pénurie à l'opulence d'une société de consommation en plein essor.

Les collections de 1939-1945 comprennent environ 120 créations vestimentaires. Leur rareté évoque à elle seule ces temps de restriction. Les accessoires, à l'image de ce que fut la réalité, tiennent en revanche une place plus importante.

Durant la période de reconstruction (1945-1947) consécutive à la Seconde Guerre mondiale, la structure des collections évolue avec une augmentation notable du nombre de pièces griffées. Une trentaine de créations évoquent une production encore sous l'emprise du rationnement.

En 1947, avec Christian Dior, la mode entre dans l'une des phases les plus glorieuses de son développement. Les collections, dans lesquelles le fonds Dior prédomine, sont sous l'influence du New Look. Seuls Balenciaga et Chanel parviendront au cours des années 1950 à imposer un style différent.

LA GUERRE

Avec la guerre, l'image traditionnelle de la femme soumise aux caprices de la mode et aux règles strictes de l'élégance bascule au profit d'un plus grand pragmatisme. Priorité absolue est donnée au confort, pour sortir, tout autant que pour demeurer à la maison, comme l'indique un peignoir de Lanvin en soie à pois blancs sur fond noir, doublé de lainage rouge (1941). L'influence militaire est sensible partout, dans l'ornementation (boutons, brandebourgs, épaulettes, (*ill. 120 b*) comme dans la structure des vêtements. Les épaules s'élargissent, la jupe se fait plus ample et

remonte au niveau du genou. Seule concession à la féminité des années 1930 : la taille demeure très accusée. La trentaine de robes courtes et les rares exemples de tailleurs ou de manteaux de Lucien Lelong (*ill. 114 b*), de Robert Piguet, de Maggy Rouff, de Paquin ou de Schiaparelli, présentent tous ces caractéristiques. En outre, avec la pénurie qui s'installe, les matériaux sont épais et rêches et les couleurs plus sourdes. Quelques robes longues, survivance d'une activité mondaine, rompent avec cette mode de guerre : une robe du soir bustier en toile de lin mauve, ornée de franges de perles argentées disposées en biais, de Schiaparelli, ou encore une robe du soir en satin rose fuchsia, accompagnée de son boléro brodé de jais noir, de Cristobal Balenciaga, portée et donnée par madame Lopez-Willshaw. En revanche, les collections ne comprennent pas de jupes-culottes ni de pantalons, qui furent pourtant très appréciés pour camoufler l'absence de bas. Des guêtres et des bas de laine, piètres remplaçants de leurs homologues en soie, portés avec des chaussures épaisses et des tissus grossiers accusent donc le caractère massif de cette silhouette de guerre.

À partir de 1941, tout est progressivement rationné. Pour limiter l'usage du cuir, apparaissent les « bons de chaussures » qui engendrent aussitôt, par réaction et par nécessité, une création frénétique. L'inconfortable et sonore semelle de bois se répand tandis que le pied se couvre de panama, de raphia, de chanvre ou de tissus synthétiques. Comme l'exception qui confirme la règle, les chaussures de Georgette, présentes dans les collections, témoignent d'une production un peu paradoxale, aussi rare que prestigieuse. Constituées à partir des meilleurs cuirs, ces chaussures sont souvent dorées ou argentées. Seul un talon compensé révèle leur appartenance à la mode

115. Exemples d'une production domestique. *Turban en lainage imprimé, vers 1943. Paire de sandales en coton travaillé au crochet, à semelles de bois articulées, vers 1943. Sac en bandoulière en drap de laine à carreaux, vers 1942. Un fermoir en bois clôt le rabat.*

116. *Tissu d'habillement
en crêpe de rayonne exécuté
par la maison Lehulz,
1943, 98 x 92 cm.*

117. *Robe d'été, vers 1944.* Durant toute la guerre, la presse
féminine propose des modèles de robe à confectionner et à enjoliver
soi-même, comme cette robe chemisier de lin écru ornée
d'un croquet blanc discrètement brodé de fil rouge et bleu.

118. *Tissu d'habillement,
lampas de rayonne,
exécuté par la maison
Brochier & Cie, 1943.
Chaque motif représente
une activité féminine :
trois fileuses, une lectrice,
deux couturières
et une mère de famille.*

du temps. Des exemples de Perugia ou de Salvatore Laporta complètent cette parenthèse luxueuse au sein des collections.

Sous l'effet du rationnement, les ceintures ne doivent pas dépasser 4 centimètres de large. Elles sont bricolées à partir de plaques de bois peintes à la maison ; les sacs en cuir sont remplacés par de grands cabas en tissu qui se portent soit en bandoulière, soit à l'épaule. Eux aussi sont réalisés avec les moyens du bord. En juin, le fil à coudre est contingenté. En juillet, les femmes doivent avoir recours à des cartes de vêtements. En 1942, on ne trouve plus rien. La presse encourage alors la récupération de matériaux usagés et les initiatives personnelles en fournissant des modèles à réaliser soi-même (*ill. 117-119*). On récupère. On bricole. Ce qui explique la présence au sein des collections de cette production domestique (*ill. 115*). L'accent est mis sur le maquillage et sur les accessoires, notamment sur les chapeaux qui renouvellent les toilettes. À l'instar de la célèbre création d'Albouy en papier journal, ils dressent sur les

têtes un éventaire des matières les plus incongrues. Mais ces extraordinaires couvre-chefs finissent par s'étioler en un universel turban qui résout le problème de la coiffure : toute une production anonyme voisine ici avec des créations de Marie Aubert, de Lemonnier ou encore de Schiaparelli.

Particulièrement attentive à la mode, la presse contribue à gommer la honte liée à la pénurie et accélère l'affranchissement des conventions et la simplification des mœurs vestimentaires. Elle accompagne et justifie les mutations qui s'opèrent pendant la guerre : ce qui était exclu en 1939, sortir tête nue ou sans bas par exemple, pourra être considéré comme normal après la guerre.

LA RECONSTRUCTION

La mode, jusqu'en 1946, subit encore les effets du rationnement. Après six ans de guerre et d'isolement, Paris a perdu son statut de capitale de la mode. Pour relancer les professions du luxe et promouvoir le

119. Patronages et conseils pour la réalisation de modèles confectionnés à partir de matériaux de récupération. *« Une leçon de turbans par la modiste Jeannette Colombier »*, Marie Claire, *n° 292, 10 septembre 1943, p. 10-11. « Chaussures sans tickets »*, Marie Claire, *n° 189, 8 mars 1941, p. 14-15.*
« J'avais dans mon armoire tout ce qui leur manquait », Marie Claire, *n° 295, 10 octobre 1943, p. 6-7.*

120. Manteaux de jour. 120 a. *Manteau de jour gris en ratine avec ceinture assortie, « Lucien Lelong », vers 1947.* Un pli creux dans le dos donne une aisance supplémentaire. L'inscription : *« Lucien Lelong, 6 Avenue Matignon, Paris »* est tissée sur la doublure en taffetas de soie grise.
120 b. *Manteau de jour en sergé de laine bleu, doublé de rouge vermillon, « Schiaparelli », hiver 1939-1940.*
La fermeture Éclair, emblématique de la production de Schiaparelli, se retrouve à l'intérieur des deux poches sacoches. Les boutons dorés, ornés d'un S, ferment les rabats.

savoir-faire français à l'étranger, la Chambre syndicale de la Couture organise une série de manifestations dont le « Théâtre de la mode » (1945) est l'exemple le plus marquant. Il est d'abord présenté au pavillon de Marsan, palais du Louvre, puis dans plusieurs villes américaines. Ce théâtre regroupe, dans des décors d'artistes tels que Jean Cocteau, Christian Bérard ou Boris Kochno, plus de deux cents poupées de 70 centimètres de haut, créées par Éliane Bonnabel et habillées par une cinquantaine de couturiers. Le succès de cette manifestation prestigieuse est immédiat. En remettant à l'honneur les traditions du luxe et du savoir-faire français, ce type d'opération promotionnelle contribue à relancer la mode de la robe habillée, qui coïncide d'ailleurs avec une reprise de l'activité mondaine.

Les collections du musée, entre 1945 et 1947, évoquent cette avidité renaissante pour le faste : aux rares exemples d'une mode de jour qui rallonge (*ill. 120 a*) et manifeste clairement une envie de drapés et d'ampleur viennent s'ajouter, dès 1946, des robes du soir d'un caractère résolument somptuaire. Citons par exemple une robe longue de Marcel Rochas en satin blanc cassé, broché d'un décor de dentelle rebrodé de paillettes noires ou encore, de Schiaparelli, un spectaculaire manteau en taffetas noir et blanc et des vestes richement brodées, qui gagnent en ampleur par rapport à la production d'avant-guerre.

L'OPULENCE

Formant presque 60 % des collections, les robes du soir constituent l'attraction majeure de la mode des années 1950. Elles représentent la conclusion somptuaire d'une garde-robe qui redevient complexe. Ensembles de jour plus juvéniles, robes de cocktail, robes du soir courtes et fabuleuses tenues de bal. Ainsi, la femme élégante, a-t-elle définitivement oublié le caractère utilitaire et pragmatique de la mode des années de guerre, pour se plonger dans le plus strict des formalismes.

LES ANNÉES 1950 ET LE NEW-LOOK. La première collection de Christian Dior est présentée en

1947. À cette occasion, Carmel Snow, la célèbre rédactrice du *Harpers' Bazaar*, qualifie les lignes « 8 » et « Corolle » de « *New-Look* », expression qui devait devenir celle de toute une époque. Épaules étroites, poitrine haute, taille cintrée, jupe rallongée, autant de caractéristiques réunies par le célèbre tailleur « Bar » (*ill. 114 a*). Cette collection de Dior cristallisait l'envie de luxe et de féminité déjà manifeste chez la plupart des couturiers de l'immédiate après-guerre. Bien que peu représentée dans la presse française, cette tendance est plébiscitée sur-le-champ par les Parisiennes. Elle est en revanche décriée de manière unanime par les féministes américaines, qui voient en elle une mode réactionnaire.

L'influence du new-Look sera prépondérante sur la mode de 1947 à 1958. Plus qu'un simple jeu sur les apparences, cette tendance définit une panoplie de la bienséance inspirée de l'élégance du Second Empire. Elle marque ainsi l'apparition de l'une des plus importantes et des plus complètes réminiscences historiques dans la mode du XXe siècle. Tout y concourt et en premier lieu la lingerie. Elle façonne et dessine la silhouette dans une débauche de nylon, un nouveau matériau qui est, à l'époque, considéré comme une matière luxueuse : soutiens-gorge pigeonnants, serre-tailles baleinés, ceintures de hanches, jupons, combinaisons-gaines, mais surtout, guêpières, qui ne sont pas sans évoquer les dessous contraignants du siècle passé. Tous ces modèles sont déclinés en de subtiles couleurs. Ils allongent la silhouette, l'amincissent, la maintiennent tout en tenant les bas, désormais en nylon.

Les vêtements de par leur opulence et leur variété confirment de la même manière le retour à une élégance codifiée selon des règles strictes. Très structurés, ils accusent les courbes du corps féminin. Par leurs volumes, leur poids et leur inertie, ils déterminent une gestuelle tout à fait particulière. Les amples jupes longues ont un mouvement qui leur est propre, tandis que les jupes étroites entravent délibérément la marche. La taille est cintrée, encore amenuisée pour le jour par des basques ou des poches décollées qui exagèrent l'arrondi des hanches.

121. Robes de bal des années 1950. 121 a. *Robe du soir en satin de soie blanc brodé de perles nacrées et de strass, « Christian Dior, automne-hiver 1956, n° 84385 », modèle « Festival ».* 121 b. *Robe du soir en tulle or, « Charles James '55 », 1955. La jupe est recouverte de six épaisseurs de tulle Albène dans des tons allant du gris au jaune maïs.* 121 c. *Robe du soir avec ceinture en satin de soie blanc broché or et rebrodé de perles et de strass, « Pierre Balmain », hiver 1954.*

122 a. *Robe du soir en tulle rouge dégradé, « Jacques Griffe », modèle « Chaussons rouges », 1953.*
122 b. *Ensemble du soir, robe et jupe, en toile de lin jaune, « Balenciaga », modèle « Taïga », 1961. La robe à corsage ajusté, sans manches, présente une jupe à haut volant plongeant dans le dos. Une autre jupe montée sur corselet suit le même mouvement que la première.*

Broderies de Rébé

Liée aux créations de haute couture depuis le début des années 1920 jusqu'en 1966, date de la fermeture des ateliers, la maison Rébé est représentée au sein des collections par plus de 2 000 modèles de broderie dont bon nombre d'échantillons étaient destinés à Poiret, Worth, Callot, Doucet ou Doeuillet.

Une vingtaine d'échantillons évoquent le goût qu'avait Cristobal Balenciaga pour les broderies de jais. Jacques Fath faisait exécuter des compositions à partir de coquillages, de soutaches et de coraux tandis que Christian Dior avait une véritable passion pour les fleurs : une vingtaine d'échantillons le prouvent. Parmi eux, le motif de pâquerettes représenté ci-dessous se retrouve sur un vêtement conservé au musée et illustré, porté par Brigitte Bardot sur la couverture du magazine Elle.

Les broderies de Rébé figurent également sur de nombreux accessoires dont les plus spectaculaires sont les chaussures de Roger Vivier. Brodées par Rébé et destinées à Christian Dior, elles témoignent d'une étonnante collaboration entre trois créateurs différents.

123. Couverture du magazine
Elle, 24 mars 1952.

124. Échantillon de broderie en Organza garni
de pâquerettes de soie, Rébé pour Christian Dior.
Cette broderie se retrouve sur la robe
« Vilmorin », printemps-été 1952.

125. Souliers brodés de Roger Vivier, de haut en bas :
• Escarpin à bout ovale en gros grain blanc
brodé de perles, de tubes et de paillettes, 1967.
• Escarpin à bout pointu en tulle or brodé de fils
de cuivre, de sequins, de pierres et de grains,
Rébé pour « Christian Dior, Roger Vivier », Paris, 1960.
• Escarpin à bout carré en tulle brodé de paillettes
multicolores selon un motif arlequin de Rébé, 1966.

Naissance
du prêt-à-porter
des couturiers

Les premières expériences de prêt-à-porter des couturiers avaient vu le jour dans les années 1930, avec « Heim Actualité » créée en 1933 et « Lucien Lelong Édition » fondée en 1934. Il s'agissait de lignes bis qui, tout en s'inspirant des collections de couture, continuaient à être réalisées dans les ateliers de la maison, mais selon des tailles standardisées, et donc à un moindre coût. L'autre possibilité était d'adjoindre à l'activité de haute couture, un rayon consacré à la vente d'éléments de garde-robe séparés susceptibles de compléter la collection « couture ». Les chemisiers, les vêtements de sport et la maille, donnèrent naissance à la notion de « séparés », de « mix and match ». Ils étaient réalisés en plusieurs tailles et ne nécessitaient qu'un minimum de retouches.

En 1943, des confectionneurs qui, sans appartenir au cercle restreint de la haute couture, s'inspiraient de sa production fondent l'Association française des maisons de couture en gros, pour favoriser l'émergence d'un prêt-à-porter de luxe. Celui-ci est diffusé sous l'appellation « Les Trois Hirondelles » (ill. 126). Face à cette importante concurrence, la haute couture instaure de nouveaux systèmes de production, visant à toucher une clientèle plus étendue.

En 1948, Christian Dior signe avec la société Prestige un contrat de licence qui autorise cette société industrielle à fabriquer des bas sous le nom de « Christian Dior » moyennant un pourcentage sur le chiffre d'affaires. En 1952, Dior crée un studio de licences qui assure la diffusion de son nom dans plus de soixante-dix pays.

Dès 1948, Jacques Fath dessine deux collections par an à New York pour Joseph Halpert qui les distribue dans les grands magasins Lord & Taylor. Il s'associe, en 1953, avec l'industriel Jean Prouvost pour lancer une ligne de prêt-à-porter, « Jacques Fath Université ». En 1950, il fait partie des couturiers associés (comprenant Fath, Piguet, Paquin, Carven et Dessès) pour éditer en confection des modèles de grands couturiers. Une robe de cocktail noire, présentant un bustier et une jupe évasée, griffée « Les Couturiers associés, Paris, modèle exclusif de Jean Dessès » vient illustrer cette association.

Jacques Heim fonde « Maria Carine », une entreprise de confection dont la vocation aussi est d'éditer les modèles des grands couturiers. Cette entreprise, dont le musée conserve un fonds constitué d'une trentaine de créations, finira par signer un contrat d'exclusivité avec Lanvin-Castillo.

Ainsi, la démocratisation de la mode qui avait au cours des décennies précédentes fait un chemin considérable amorce, dans les années 1950, la phase décisive de son développement.

126. *Robe de cocktail en crêpe de soie, « Les Trois Hirondelles », vers 1940.*

Au travers de ces premières expériences d'un prêt-à-porter de luxe, l'image de la création et du prestige vient en effet de s'associer à la confection industrielle. La haute couture, dont la clientèle avait sensiblement diminué au lendemain de la Seconde Guerre mondiale, entreprend alors de récupérer ses clientes d'une autre manière. Elle va surtout s'en agréger de nouvelles.

Pour le soir, elle est emprisonnée dans un bustier qui fait saillir la poitrine et souligne les hanches. À partir de 1955, la taille moins étranglée définira une silhouette plus fluide et plus droite.

Enfin, les accessoires contribuent au conditionnement du maintien : les chaussures de Roger Vivier, dont 169 modèles sont conservés dans les collections, deviennent de plus en plus sophistiquées et de moins en moins propices à la marche. Le sac se porte de nouveau à la main, ou à la commissure du coude. Comme dans les années 1930, les gants sont de nouveau indispensables, et le chapeau qui vient équilibrer la ligne brille de ses derniers feux.

CHRISTIAN DIOR. Les 340 créations de Dior proviennent des archives données par la maison Dior (prototypes de collection) ou de donations de clientes comme madame Kaindl, madame Fina Gomez ou madame Arturo Lopez-Willshaw. Elles retracent l'activité de la maison, depuis sa création, en 1947, jusqu'à la mort de son fondateur en 1958. La production des successeurs de Dior, et notamment celle d'Yves Saint Laurent, qui fut le directeur artistique de la maison Dior de 1958 à 1960, est également attestée.

Comme pour l'ensemble des collections des années 1950, les modèles de jour sont, dans le fonds Dior, assez peu nombreux en comparaison des tenues de soirée. On remarquera cependant quelques tailleurs et quelques robes de lainage ou de taffetas à grands cols, ou encore des robes d'Organza brodé, comme le modèle « Vilmorin » de la collection printemps-été 1952 (*ill. 123*) dont les broderies sont de Rébé.

La clientèle de Christian Dior est particulièrement prestigieuse. Il lui destine des robes de cocktail, principale nouveauté des années 1950. Elles se différencient des robes du soir par leur longueur, au-dessous du genou. Les modèles « Zerline » ou « Venezuela » (*ill. 128*), respectivement en taffetas noir et faille saumon, datent tous deux de la collection automne-hiver 1957 : le travail du drapé est le même, les proportions similaires avec un large et profond décolleté, une taille bien prise et une jupe très ample, au genou.

Il existe aussi des robes du soir courtes, plus somptueuses encore, à l'instar du modèle « Soirée de Bagdad » automne-hiver 1955, en satin ivoire brodé de fils argent et or et de pierreries translucides et bleues. Elles partagent avec les robes longues du soir un même goût pour des formes très structurées et l'utilisation de grands métrages d'étoffe – faille, satin duchesse, taffetas et velours brodés. Souvent ces robes ont une armature intégrée, un bustier baleiné doublé de tulle, qui permet de tenir le vêtement en libérant les épaules, offrant ainsi des décolletés asymétriques et des jeux de bretelles très décoratifs.

Apothéose du luxe, les robes de bal (*ill. 121-122*) sont symptomatiques de cette mise à nu du haut du buste. Deux exemples illustrent cette fastueuse tendance : le modèle « Mexique » porté par la marquise de Portago au bal Goya à Biarritz, en 1951, et, datant de la même année, le modèle « Adélaïde », destinée à Mrs. Diettenhoffer pour le bal Beistegui au palais Labia à Venise : une robe en tulle noir à bustier balconnet et jupe très ample, presque une crinoline, assortie de son manteau de satin pêche, parvenus dans les collections sans même avoir été portés.

LE NEW LOOK HÉGÉMONIQUE. Les années 1950 représentent un véritable âge d'or de la haute couture. L'étonnante richesse des collections présente des modèles griffés Lanvin-Castillo, des créations de Jacques Heim, de Rochas, de Robert Piguet, de Schiaparelli, pas moins d'une dizaine de modèles par couturier. De nouveaux couturiers apparaissent, tels Jacques Griffe, Jacques Fath ou Pierre Balmain, qui marquent de leur sceau cette mode dominée par le New Look. La légendaire fantaisie de Jacques Fath, qui avait ouvert sa maison en 1937, se retrouve inscrite sur ses modèles : robes de jour ou robe du soir d'inspiration espagnole, dont nombre d'entre elles furent portées et données par Suzy Delair. Pierre Balmain se démarque par un grand classicisme de la coupe et une ornementation généralement plus sage, comme en témoignent ses tailleurs très structurés, à la taille fine, au buste épanoui, réalisés dans des matières sèches et sobres. Pour le cocktail et le soir, il allie

127. Robes de cocktail. 127 a. *Robe-manteau en soie cloquée, « Eisa », par Cristobal Balenciaga, modèle nº 116, hiver 1956.*
127 b. *Robe du soir courte en satin de soie recouvert de mousseline de soie et de dentelle, Jacques Fath, vers 1954.*
Ce modèle a été porté par l'actrice Suzy Delair. 127 c. *Robe de cocktail en taffetas, « Christian Dior, automne-hiver 1957 ».*

128. *Robe de cocktail en faille de soie,*   129. *Tailleur-jupe en tweed de laine, gansé marine et fuchsia,*
« *Christian Dior* », *modèle* « *Venezuela* »,   « *Chanel* », *vers 1965.* Une blouse en pongé de soie marine
automne-hiver 1957.   sans manches complète le tailleur.

    Si la robe de Dior est spécialement conçue pour le cocktail, le tailleur de Chanel peut, quant à lui, être porté en cette occasion. Outre cet aspect qui relève d'un usage commun, ces deux vêtements témoignent d'une conception radicalement différente. Avec Dior, le corps est tenu, contraint, baleiné. Avec Chanel, il évolue librement. D'un côté, une maîtrise traditionnelle de la coupe jusque dans les structures non visibles du vêtement, de l'autre, une somme d'inventions techniques qui rendent ce tailleur confortable : montage de la manche en arrondi inspiré de celui des cardigans, maintien des lés de tweed par une piqûre avec la doublure de soie à espacements réguliers, chaîne dorée pour plomber le bas de la veste, galon pour éviter l'épaisseur d'un ourlet, etc.

volontiers le satin et la mousseline à de riches broderies dans des créations parfois théâtrales, comme la robe « Sirène » destinée à Edwige Feuillère, entièrement pailletée d'or…

EN MARGE DU NEW LOOK. Cristobal Balenciaga, cavalier seul de la couture, définit un style d'une extrême vigueur, à l'encontre du New Look. En 1951, la silhouette qu'il propose a le cou dégagé, la poitrine aplatie, l'ampleur et le poids du vêtement étant rejetés au dos. Sans concession, il recherche l'équilibre des volumes et, avant tout, la pureté de la ligne. Il refuse l'ornement gratuit, privilégie les matières sèches, les couleurs sombres, le brun, le gris et plus particulièrement encore, le noir qu'il décline sans se lasser en l'alliant parfois à des couleurs saturées, rose, violet ou rouge. Une robe de cocktail de 1953, à large décolleté bateau, avec des mancherons sur les épaules et une jupe montée à plat sur les hanches, rappelle cette attirance pour les camaïeux sombres : elle est en étamine de soie marron, recouverte de dentelle noire.

Cavalier seul, il l'est aussi dans le système de la mode. Il conteste le pouvoir de la presse et refuse de défiler en même temps que les autres. Il travaille toujours dans le plus grand secret et s'attache des fournisseurs exclusifs pour se mettre à l'écart des informations que ceux-ci propagent d'une maison à l'autre. Ainsi évite-t-il aussi de succomber aux propositions des marchands qui tentent d'imposer leurs propres nouveautés à toutes les maisons de couture – leur rôle est en effet non négligeable dans la définition périodique des tendances de la mode. Les créations de Balenciaga sont donc à l'image de leur créateur : elles s'imposent dans la mode des années 1950 par leur profonde originalité.

Le fonds Chanel – plus de 150 créations réparties de 1920 à nos jours – constitue l'une des grandes richesses des collections du musée. Gabrielle Chanel, qui rouvre sa maison de couture à soixante et onze ans en 1954, s'illustre au travers d'une série de robes du soir courtes, travaillées dans des étoffes rigides, souvent brochées or ou argent. Elles sont dans la ligne de l'époque avec leurs bustiers baleinés, leurs hauts dénudés et leurs jupes à mi-mollet, gonflées par plusieurs jupons de tulle. En revanche, Gabrielle Chanel se singularise avec sa mode de jour. Soutenue par la presse, et notamment par Hélène Lazareff*, elle milite pour la libération de la femme en imposant une panoplie de l'élégance qui, tout en respectant les formes naturelles du corps – un corps presque androgyne –, met fin à la multiplication des toilettes selon les heures du jour.

L'impact est tel que la formule est encore déclinée aujourd'hui. Sous une apparente simplicité, le tailleur de Chanel résulte, en fait, d'une somme de principes et d'astuces techniques que la créatrice expérimente d'abord sur elle-même, en suivant une ligne de conduite qui lui est propre : « L'élégance du vêtement, c'est la liberté de bouger. » En conséquence, le vêtement doit s'adapter au corps et non l'inverse. Telle est sa conception de la modernité.

*Fondatrice du magazine *Elle* en 1945. Elle fut à l'origine de l'immense succès que connut Gabrielle Chanel lors de la réouverture de sa maison de couture en 1954. De cette époque datent plusieurs éléments de sa garde-robe, notamment un tailleur bleu marine à carreaux blancs ainsi que des escarpins bicolores.

130. Du futur au néo. 130 a. *Robe mini en plaques d'aluminium alternativement carrées ou rectangulaires, martelées ou lisses, Paco Rabanne, été 1968.*
130 b. *Robe longue en papier kraft, cousu et rebrodé, Christian Lacroix, 1994.*
Commandée spécialement par le magazine *Frankfurter Allgemeiner*, cette robe a fait partie d'un éditorial photographié par Sarah Moon.

DU FUTUR AU NÉO
1960 – 1970 – 1980

Pour la première fois, un équilibre s'établit au sein du musée entre le nombre de créations de haute couture et celui de la confection industrielle. Les collections pour ces trois décennies reflètent donc, d'une part, la position de la haute couture qui s'affirme entre savoir-faire traditionnel et techniques d'avant-garde et, d'autre part, la naissance du stylisme et l'ascension du prêt-à-porter. La plupart des créations, vêtements aussi bien qu'accessoires, sont désormais griffées.

Les collections de mode masculine s'enrichissent grâce aux garde-robes de Norman Parkinson, d'Alexandre, de François Daigre, ou de Cornelio Selle-Sanchez. Enfin, la mode enfantine, avec l'apparition d'un prêt-à-porter spécifique, voit sa représentativité augmenter sensiblement.

L'INFLUENCE DÉTERMINANTE
DE LA JEUNESSE

Issue du « baby-boom », dotée d'un fort pouvoir d'achat, la jeunesse des années 1960 est à l'origine d'importantes mutations structurelles et formelles. La mode devient le lieu d'un affrontement entre classes d'âge. Partout s'impose l'image de la jeune fille, reléguant au second plan celle de la femme élégante des années 1950 : la poitrine s'efface, la taille est moins marquée, les cheveux sont très courts et les jambes semblent s'étirer.

Cette silhouette juvénile est forcément mince, presque androgyne ; elle se dispense de sous-vêtements contraignants, adopte immédiatement le collant Dim et ira jusqu'à abolir le port du soutien-gorge. Or, cette adolescente triomphante ne peut ni ne veut être habillée comme la génération qui la précède. Le marché qui s'offre à elle, les tendances unifiées et somptueuses de la haute couture, ou celles ordinaires et peu créatives de la confection ne peuvent la satisfaire pleinement.

LA HAUTE COUTURE
1960-1990

À partir du début des années 1960, la haute couture cesse d'être la seule à définir les tendances de la mode. Sa clientèle diminue. Les couturiers vont alors adopter de nouvelles stratégies. La jeune génération, comme André Courrèges, Pierre Cardin ou Yves Saint Laurent, joue sur la créativité et sur le développement de lignes de prêt-à-porter. Les maisons de couture déjà établies, comme la maison Christian Dior, continuent de développer leurs licences. D'autres encore, comme Balenciaga ou Chanel, qui refusent toute idée de prêt-à-porter, tentent de défendre une position plus traditionnelle, ancrée sur les valeurs du luxe et du savoir-faire exclusivement sur mesure. Riches en innovations de toutes sortes, les collections traduisent, à partir des années 1960, l'émergence d'individualités.

En 1965, André Courrèges, lance une version française de la minijupe qui bouleverse l'image conservatrice de la haute couture et sublime les tendances de la rue. En doublant la jeunesse sur son propre terrain, la créativité et la dénudation du corps, il rajeunit l'image de sa profession et se sert de ce coup d'éclat pour imposer, à côté de sa ligne de haute couture « Prototype », deux lignes de prêt-à-porter « Couture future » et « Hyperbole » pour la grande diffusion. Pourtant, il existe peu de différences entre ces produits : les techniques et les matières nouvelles que Courrèges met au point avec la société Dupont de Nemours sont utilisées aussi bien dans le prêt-à-porter que dans la couture. La donation de Courrèges, bientôt

131. La haute-couture. 131 a. *Manteau court en gabardine de laine imprimée d'un motif de Sonia Knapp, « Emanuel Ungaro », 1968.*
131 b. *Robe longue du soir en Qiana blanc, ouverte sur le devant et dans le dos sur une jupe courte en tissu assorti, « Pierre Cardin », 1971.*
131 c. *Ensemble blouson et minijupe en jersey de laine, Courrèges, 1971. La minijupe présente de faux rabats à bouton pression dans le dos.*
131 d. *Robe en gabardine bleu marine, « Yves Saint Laurent-Rive Gauche », vers 1970.*

complétée par celle de ses clientes et par celle de son partenaire industriel, comprend, aux côtés de matériaux traditionnels, des matières nouvelles telles que le vynile ou le Rhodoïd. Courrèges joue donc à la fois sur les matières, mais aussi sur les techniques – par exemple, des rubans de satin tressés pour un ensemble-pantalon de 1965 –, sur les couleurs – beaucoup d'orange, de rose et surtout de blanc, qui exige des avancées technologiques importantes de la part des industriels –, sur les accessoires – bottes plates, perruques, lunettes (*ill. 146*), etc. – et sur les formes qui sont parfaitement anticonventionnelles – combinaison-collant intégral, combinaison-pantalon dos nu, robe longue-poncho ou encore, robe constituée de trois bulles.

Jacques Esterel, qui a commencé sa carrière de couturier avec Louis Féraud, fonde sa propre entreprise en 1958. Créateur de la robe de mariage de Brigitte Bardot (*ill. 132*), il est aussi le promoteur d'une mode sportswear portée par toute la famille, le « négligé snob » décliné en jersey bicolore. Avec une volonté déclarée d'abolir les tabous sexuels, Esterel, en 1970, habille les hommes et les femmes en robes unisexes et va même jusqu'à faire défiler une mariée toute nue sous son voile.

Pierre Cardin, dont les collections évoquent plutôt l'activité de haute couture que celle de ses nombreuses licences, se caractérise par des formes très épurées, et une ornementation dépouillée. Un pantalon droit et une tunique du soir, créés vers 1969, en soie rouge géranium, à décolleté en V souligné par une broderie de perles, de sequins et de pétales en Rhodoïd polychrome, une robe en lamé bordée de renard teint accompagnée d'un paletot orange à manches hublots, portés par Hélène Lazareff, ainsi qu'une robe inspirée de l'op'art, de 1966,

symbolisent bien la ligne délibérément avant-gardiste qu'il donne à ses créations.

Le caractère expérimental, moderne et anticonformiste des recherches de Paco Rabanne introduit dans le monde de la haute couture un détournement de l'élégance dont témoignent les quelque soixante-dix modèles conservés au musée. Il se livre, dès l'ouverture de sa maison en 1966, à l'exploration de matières peu usitées et à des assemblages totalement inédits dans l'univers de la couture : tricot de fausse fourrure, pièces de métal (*ill. 130 a*), de plastique, de cuir, de boutons, de toile cirée, reliées entre elles par des anneaux métalliques. Tous sont des modèles uniques et donc fort rares. Refusant l'édition industrielle des créations qu'il réalise lui-même, il assure la rentabilité de son entreprise en développant d'autres activités, et notamment le parfum.

Emanuel Ungaro contribue à rajeunir l'image de la couture par des gammes de coloris acidulés, des imprimés « buvard » imaginés par Sonia Knapp, et l'emploi de matières synthétiques. Une robe et un manteau en lainage argent de forme trapèze, datant de 1966, viennent illustrer le goût de ce couturier pour une silhouette menue et futuriste. Cet ensemble, comme une dizaine d'autres, a appartenu à Madame Denise René, célèbre propriétaire d'une galerie d'art contemporain et fervente cliente d'Ungaro. En 1968, Ungaro lance sa deuxième ligne de prêt-à-porter, intitulée « Parallèle », dont les modèles encore largement

132. *Robe en vichy rose et blanc, Jacques Esterel, 1958.* Cette robe a été portée par Brigitte Bardot lors de son mariage avec Jacques Charrier, le 18 juin 1958.

inspirés de la couture sont, en revanche, vendus à un tiers du prix.

En 1966, Yves Saint Laurent fait un coup d'éclat en présentant un smoking féminin. C'est affirmer l'importance du pantalon dans la société. C'est aussi imposer pour le soir une vision ambiguë de la féminité. La même année Yves Saint Laurent ouvre avec grand succès la boutique « Rive Gauche » qui diffuse un prêt-à-porter de luxe, totalement différent de la haute couture. Si les exemples de ce prêt-à-porter sont encore rares au sein des collections, quelques créations de haute couture, comme une mini-robe en paillettes noires et blanches, bordées de plumes assorties, de 1967-1968 ainsi que de nombreuses chaussures « Salomé » retracent, en revanche, l'activité de ce créateur.

Un aspect plus traditionnel de la haute couture est visible au travers de la garde-robe de la duchesse de Windsor que celle-ci a léguée au musée en juin 1986. À l'image de cette personnalité mondaine qui, au tournant des années 1960, s'habillait aussi bien chez Dior, chez Chanel, qu'auprès de madame Grès ou de Pierre Cardin, cet ensemble homogène de vêtements et d'accessoires traduit un goût pour les belles matières, le classicisme de la coupe et la sagesse de l'ornementation. D'un luxe plus ostentatoire, la donation de madame Sao Schlumberger comprend des créations des maisons de couture les plus en vogue de 1960 jusqu'aux années 1980. Cette garde-robes assortie d'une lingerie très raffinée en nylon, datant du début des années 1960, compte des créations de Hubert de

133. *Dessin au crayon-feutre sur papier, Alexandre pour Dior Fourrure, 1978.*

134. *Robe du soir courte en Organza, brodé par la maison Vermont de paillettes et de perles irisées et nacrées, « Givenchy », collection haute couture, modèle n° 30, automne-hiver 1987-1988.*

Givenchy (*ill. 134*), de Christian Lacroix pour Jean Patou, ou encore de Chanel ou d'Yves Saint Laurent, notamment une robe issue de la collection « Picasso », 1979.

Jean Cazaubon fut premier d'atelier de la maison Chanel. À la mort de sa fondatrice, en 1971, il poursuivit la production. Certains tailleurs de sa donation, tel le modèle en shantung ivoire gansé de bleu marine et de rouge datant de la collection printemps-été 1971, ont sans doute été conçus par Chanel et exécutés par Jean Cazaubon. Les autres, pour la plupart en tweed, restent fidèles à l'image imposée par Chanel. Il faudra attendre l'arrivée de Karl Lagerfeld, en 1983, pour que le style de cette maison soit entièrement repensé.

À ces donations viennent s'ajouter des fonds quantitativement très importants offerts par les maisons de couture ou les couturiers eux-mêmes.

Outre la collection donnée par le créateur Bernard Perris, le fonds Guy Laroche est à cet égard exemplaire. Il réunit plus de 130 créations des années 1960 à nos jours. Les maisons Nina Ricci et Pierre Balmain, sont également bien représentées, au travers de modèles du soir qui perpétuent les traditions de leur maison respective, par un jeu d'allusions et de citations subtilement renouvelées.

Une forme de renouveau de la haute couture se fait jour durant les années 1980 mais c'est encore au travers de créations du soir que s'écrit cette histoire. De nouvelles maisons apparaissent qui, à peine ouvertes, consignent leurs archives au musée. Le fonds Lecoanet-Hémant est constitué d'une vingtaine de robes du soir à la coupe très élaborée. La maison Chanel, avec Karl Lagerfeld pour directeur artistique, est également bien représentée avec des créations richement brodées par la

135. La haute couture. 135 a. *Ensemble robe et veste en cellophane or et argent, doublé de gaze à rayures dégradées roses et jaunes filetées d'or, « Chanel », 1967.*
135 b. *Robe longue du soir, « Christian Dior » par Gianfranco Ferré, modèle « Nuit sacrée », printemps-été 1991.*

maison Lesage. Le style de Chanel y est immédiatement reconnaissable mais il est modernisé avec une pointe d'irrespect, d'ironie et de dérision. Avec Christian Lacroix – notamment la robe en papier kraft (*ill. 130 b*) –, les citations sont d'un autre ordre, à la fois historique et géographique. Expression la plus achevée d'un vaste métissage culturel, les créations de Christian Lacroix s'accordent avec l'éclectisme du post modernisme des années 1980.

136. *Robe mini entièrement ornée de broderies, « Guy Laroche », vers 1967.*

STYLISTES ET CRÉATEURS

À partir des années 1960, les créations de prêt-à-porter se font de plus en plus nombreuses au sein des collections, illustrant la profonde mutation structurelle qui s'opère dans le secteur du textile et de l'habillement. Maimé Arnodin qui, depuis le milieu des années 1950, s'efforçait de promouvoir un système créatif qui concernerait tous les stades de la production (filature, tissage, confection) jusqu'à la distribution, trouve enfin une consécration de son activité au début des années 1960. Les stylistes, parmi lesquels Michèle Rosier, Christiane Bailly, Emmanuelle Khahn, mettent leur talent, leurs idées, leurs envies au service de la production industrielle. De manière anonyme ou en y associant leur nom, ils créent parfois plusieurs lignes de prêt-à-porter pour des industriels. La donation de Michèle Rosier est à cet égard significative : elle comporte, d'une part une trentaine de créations griffées des noms les plus prestigieux de la couture et portées par sa mère Hélène Lazareff et, d'autre part, une vingtaine de vêtements griffés « V de V » (du nom de l'entreprise qu'elle fonda, Vêtements de Vacances), une dizaine de pièces griffées « Pierre d'Alby » (*ill. 137 a*), trois créations Chloé, et une signée « Candole » (*ill. 137 c*). Tous ces modèles ont été conçus par

Michèle Rosier. Deux imperméables en satin Lurex argent – nouvelle couleur par elle inventée – évoquent bien le style « jeune » qu'elle définit dès le début des années 1960. Les lignes sont totalement épurées. La construction est simplifiée, comme réduite à l'essentiel. Les vêtements sont fonctionnels, droits et courts, privés de toute ornementation ; les recherches de nouvelles matières (jersey synthétique, nylon plume, etc.) suffisent à en faire des articles à la mode. Les modèles de Christiane Bailly ou d'Emmanuelle Khahn comme le manteau de cuir beige griffé « Création Emmanuelle Khahn pour Club 2000 » sont de conception similaire. Ce modèle est court, droit, il est seulement orné de trois poches et d'un jeu de surpiqûres ton sur ton. Commandée par Andrée Putman, une robe-culotte bleue de Christiane Bailly, dont la collerette métallique a été réalisée par Paco Rabanne, retrace également ce type de collaborations qui seront développées par Didier Grumbach, dès 1971, au sein de la société créateurs et industriels.

Daniel Hechter et Jean Bousquet pour Cacharel développèrent une production de masse bien adaptée à la demande des jeunes. Leurs chemises en madras ou en crépon, leurs blousons et leurs ensembles de jour faciles à porter sont bien représentés dans les collections.

La griffe Jean Bouquin rappelle une mode qui connut, à partir de 1964, un énorme mais éphémère succès : celle de vêtements simples, légers et exotiques, lancés à Saint-Tropez par des vedettes telles que Brigitte Bardot – notamment une veste longue, à carrure étroite, en satin de coton ivoire imprimé de fleurs. Enfin, le jean entre dans les collections : il est synonyme de décontraction et de loisirs, du développement de la mode unisexe et de la généralisation du port du pantalon chez la femme.

Relayant les stylistes des années 1960, les « créateurs » se définissent en fonction de l'image qu'ils accolent à leur propre nom. Ils conçoivent leurs collections – une ligne de prêt-à-porter de haut de gamme, souvent assortie d'une ou plusieurs lignes « bis » moins onéreuses – dans un esprit très personnel.

137. Le prêt-à-porter. 137 a. *Robe mini en nylon gaufré et lamé argent, Michèle Rosier pour « Pierre d'Alby », 1966.*
137 b. *Robe mini en crêpe de fibres synthétiques imprimée de carrés, « Christiane Bailly », 1966.*
137 c. *Robe mini en jersey noir, Michèle Rosier pour « Candole », 1972-1973.*

Vestiaires masculins

L'intérêt pour la mode masculine s'est manifesté de manière récente au sein des collections. Une tenue de vice-consul de France, datant de 1934, des habits de membre de l'Institut ou de l'Académie française, des tenues de préfet, voisinent avec des vêtements de travail ou des tenues sportives : ski, natation ou encore chasse à courre, avec par exemple un ensemble complet de 1935, ayant appartenu à Bony de Castellane.

Jusqu'à la Seconde Guerre mondiale, la mode civile citadine est évoquée par des smokings et des habits ou par des éléments séparés de garde-robe : vestes, gilets, chemises, pantalons, cravates, chaussures, chapeaux et autres accessoires. Par la suite, les collections s'enrichissent sensiblement : la donation de Norman Parkinson (ill. 138), célèbre photographe anglais, livre un vestiaire représentatif de trente ans de mode, soit une quarantaine de costumes et d'ensembles plus habillés, dont les premiers datent des années 1950 et les derniers, des années 1980, tel un smoking griffé « Comme des Garçons Homme, Plus », daté de 1981.

La garde-robe du coiffeur parisien Alexandre est beaucoup plus excentrique : combinaison-pantalon de jersey noir de Vachon, Saint-Tropez, costumes de daim ou de jersey ciré, pantalons en fausse fourrure, chemises rayées assorties de cravates aux coloris très vifs... Les dons de Michel Schreiber, fournisseur des costumes de loisirs de François Mitterrand, témoignent de la volonté de ce créateur de profondément modifier la conception même du costume masculin : il impose dès les années 1960 des chemises à col Mao, des costumes déstructurés et des matières naturelles.

Les vêtements du décorateur François Daigre évoquent l'élégance masculine des années 1970 et 1980 : aux costumes sur mesure fabriqués en Italie, dont un seul et même modèle est décliné dans des matières et des couleurs différentes, viennent s'ajouter des créations de Christian Dior Monsieur, d'Yves Saint Laurent et de Calvin Klein. Enfin, les vêtements et les accessoires les plus significatifs de la mode des années 1980 proviennent de la donation de Cornelio Selle-Sanchez (ill. 139) : les créations de Missoni Uomo, Gianni Versace, Christian Dior Monsieur, Angelo Tarlazzi, Ungaro Uomo, Dirk Bikkembergs et, surtout, de Jean-Paul Gaultier affichent ici l'étonnante créativité de la mode masculine.

DOUBLE PAGE PRÉCÉDENTE : *138 a.* Costume trois pièces en sergé de laine crème à rayures tennis marron, « Wyser & Bryant Ltd, 7 Savile row, London W1 », 1989. Boutons dorés à motif de chien de chasse en relief.

138 b. Costume en tweed vert à rayures rouges, jaunes et vertes, « Wyser & Bryant Ltd, 11 Princes Street, Hanover Square, London W1. N° 38883 », janvier 1995.

138 c. Costume en crêpe de laine ivoire à rayures tennis rose, « Wyser & Bryant Ltd. 45, Maddox Street, Hanover Square, London W1. N° 52495 », février 1972. Boutons métalliques en cuivre à effet de damier.

138 d. Costume en tweed écossais, deux tons de vert, « Hardy Amies, London », vers 1965.

138 e. Costume en whipcord vert amande, « Kilgoor, French and Stanburt, 33 Dover Street, London W1, n° 1597 », 1978. Pochette en crêpe vert et violet.

138 f. Costume en lainage Prince de Galles noir et blanc doublé de satin de soie violet, « Wyser & Briant Ltd, 7 Savile row, London W1 », octobre 1989.

139 a. Ombrelle en coton imprimé et peint de motifs à la manière de « Klimt » Jean-Paul Gaultier, 1989. La manche est terminée par un dé à coudre.

139 b. Casquette en feutre et cuir, « Philippe Model », automne-hiver 1985.

139 c. Veste en toile de coton rose doublée d'une toile imprimée à motif panthère, « Jean-Paul Gaultier », 1988-1989.

139 d. Pantalon en caoutchouc vert, « Gianni Versace », automne-hiver 1985.

139 e. Pull en laine rouge et en fausse fourrure blanche, « Jean-Paul Gaultier », 1986.

139 f. Fuseau en laine à carreaux noir et moutarde, « Jean-Paul Gaultier », 1987.

139 g. Tee-shirt en coton rouge à col polo noir et à emmanchures échancrées, « Gaultier Public », 1984.

139 h. Paire de sandales en cuir marron, tressées sur l'empeigne, « Stéphane Kélian », 1987.

139 i. Paire de chaussures de sport en toile de coton rouge et daim blanc, « Michel Perry », été 1988.

139 j. Paire de bottes lacées en cuir marron, « Christian Dior Monsieur », 1987.

139 k. Paire de chaussures de Chasseur alpin en cuir marron, « Le Trappeur », 1987, semelle en cuir clouté, lacets sur rivets métalliques, sangle en cuir et boucle métallique sur le devant.

Leurs défilés et les relations qu'ils entretiennent avec les médias sont l'occasion d'exacerber leur créativité. Les premiers créateurs apparaissent au tournant des années 1970. À partir de cette époque, de nouveaux donateurs s'intéressent au musée. D'origines sociales différentes et de milieux professionnels très variés, presse, milieux créatifs (publicité, décoration, cinéma, show business, etc.), leurs garde-robes viennent enrichir le musée de vêtements et d'accessoires de créateurs. À ces dons s'ajoutent ceux des créateurs de mode : Sonia Rykiel donne des vêtements en maille, avec les coutures sur l'endroit, et un jogging en velours éponge (*ill. 141*) qui symbolise à lui seul l'ère du sportswear ; Chantal Thomass offre ses créations à la fois rétro et sexy ; Kenzo entre au musée sous la marque « Jap » représentative de son style « ethno ». Le classicisme repensé de Tan Giudicelli, le métissage culturel d'Issey Miyaké, son incroyable choix de matières déclinées sur une coupe à plat, les recherches structurelles d'Anne-Marie Beretta, celles de Jean-Charles de Castelbajac sur l'emploi de matériaux détournés et la définition de vêtements ludiques, ou enfin celles de Popy Moreni, inspirées par le baroque vénitien, se retrouvent dans les collections.

La seconde génération de créateurs apparaît au sein des collections du musée, dès la fin des années 1970. L'importante donation d'Élisabeth de Senneville retrace la constante recherche d'un vêtement à la fois confortable et simple, réalisé dans des matières encore expérimentales : Tyvek matelassé, plastique soudé, impressions holographiques, etc. Les créations de France Andrevie, de Jean-Paul Gaultier d'abord pour Kashiyama, pour Gibo, puis sous

140. *« Les tenues bien dessinées du prêt-à-porter 67 »,
illustration d'Antonio pour le magazine* Elle, *mars 1967.*

son nom propre, s'ajoutent à quelques pièces représentatives de l'activité de Claude Montana ou de Thierry Mugler qui définissent chacun à leur manière des formes à la fois très « glamour » et très structurées.

Une vingtaine de modèles de créateurs Japonais, notamment de Junko Koshino et d'Hiroko Koshino, viennent témoigner au sein des collections de leur arrivée massive sur la scène parisienne à la fin des années 1970.

Les créateurs imposent autant d'images que de personnalités différentes. Au début des années 1980, l'appui institutionnel donné à de « jeunes créateurs » concourt largement à l'atomisation des tendances de la mode. À côté du prêt-à-porter haut de gamme que proposent les maisons de couture et les créateurs de mode, cette jeune génération très créative (la plupart ont moins de trente ans) propose un prêt-à-porter en séries limitées, réalisé de manière artisanale. Cette mode éclatée des années 1980 reste cependant conditionnée par l'esthétique d'un corps sculpté par la pratique du sport. Une quarantaine de modèles évoque la technique très savante d'Azzedine Alaïa qui souligne, rythme et découpe la silhouette féminine, pour mieux la mettre en valeur. La plupart de ses créations épousent les formes du corps grâce à leur coupe et à l'emploi de matériaux extensibles. Ces mêmes recherches de matières se retrouvent avec quatre pièces très rares de Marc Audibet qui préfigurent l'invasion du Lycra. Enfin, après deux décennies d'un oubli

141. *Ensemble sweat-shirt et pantalon
en velours éponge, « Sonia Rykiel », été 1992.*
Inscription en strass : *Great sweat shirt.*
Créé en 1975, le jogging de Sonia Rykiel figure
dans chacune de ses collections avec des variantes
de couleur et d'inscription. Celui-ci est accompagné
de chaussures de tennis en toile écrue brodée
de strass, à bouts en caoutchouc noir.

142. Les créateurs. 142 a. *Manteau beige, « Issey Miyaké », 1983.* 142 b. *Robe beige, « Dessiné par Jean-Charles de Castelbajac », été 1974.*
Robe extensible constituée dans la matière originale des bandes Velpeau. 142 c. *Ensemble manteau et pantalon en maille de coton et acrylique imprimée*
de rayures brisées, « Élisabeth de Senneville », été 1984. 142 d. *Robe-tablier en toile de coton maure rayée et matelassée, « Kenzo Jap », automne-hiver 1975.*
142 e. *Manteau en tricot de laine polychrome, « Dorothée Bis », 1972.*

143 a. *Robe en jean à fermetures à glissière, «Azzedine Alaïa», été 1986. 143 b. Ensemble smoking : robe et jupe en grain de poudre noir,
chemisier en toile de coton blanc, «Montana», automne-hiver 1987-1988. 143 c. Robe longue bustier en soie cloquée imprimée d'un motif floral gris acier
sur fond brun, «Chantal Thomass», automne-hiver 1985-1986. 143 d. Costume en lainage noir, «Thierry Mugler», 1985.
Ce costume a été porté par le ministre de la Culture Jack Lang, à l'Assemblée nationale, lors de la séance du 17 avril 1985.*

La mode enfantine

Le prêt-à-porter s'intéresse également à la mode enfantine qui subit une rapide évolution à partir des années 1960. Les collections s'enrichissent de modèles gais et pratiques, nécessitant un minimum d'entretien. Le vêtement endimanché de la décennie précédente tend à disparaître au profit d'une mode décontractée, calquée sur celle des adultes. Véritables répliques en miniature des vêtements des parents, ce sont des pantalons à pattes d'éléphant, des jeans, des micro-jupes, des tee-shirts, des tuniques, des gilets doublés de fourrure, ou même des robes d'inspiration hippie. Les couleurs vives s'imposent même pour les tout-petits, mettant de côté le blanc, le bleu et le rose layette.

144. Robe et culotte de bains en piqué de coton imprimé, vers 1970.

145. Tunique et pantalon d'enfant en velours de coton, « Daniel Hechter », vers 1970.

relatif, la lingerie réapparaît massivement au cours des années 1980, mais sous un jour plus ludique que fonctionnel. En somme, comme avec Chantal Thomass, il ne s'agit plus de façonner le corps mais bien de l'orner.

Bien d'autres noms et d'autres créations pourraient encore être cités pour évoquer les années 1980, années kaléidoscopiques au cours desquelles les marques et les griffes n'ont cessé de se multiplier. À l'ancienne unanimité des tendances de la mode a fait place, depuis le milieu des années 1960, une mode protéiforme qui laisse à chacun une très grande liberté de choix. Ceci explique la diversité des collections conservées pour ces trente dernières années.

Gageons que les enrichissements qui s'opèrent actuellement pour retracer les années 1990 seront tout aussi significatifs de cette liberté de s'habiller désormais totalement acquise et des avancées technologiques qui ne cessent d'aller dans le sens d'un plus grand confort.

146. Lunettes, André Courrèges.
146 a. Matière plastique et Rhodoïd, 1973.
146 b. Matière plastique et Rhodoïd, 1973-1974.
146 c. Matière plastique, 1979.

LE MUSÉE, UN FIDÈLE INTERPRÈTE DES PHÉNOMÈNES DE MODE DU XXᵉ SIÈCLE

Les collections du musée de la Mode et du Textile reflètent la tendance à la démocratisation de la mode qui s'opère tout au long du XXᵉ siècle. Constituées essentiellement à partir de garde-robes bourgeoises, elles apportent un témoignage sur la diversification des sources de création qui ne cesse de s'accélérer à partir des années 1950. Cette marche progressive vers une atomisation de la mode et vers une reconnaissance accrue de ses créateurs a pour corollaire, au sein des collections, une augmentation permanente des vêtements griffés : un tiers de créations griffées, ou d'une provenance attestée pour les années 1920, plus des deux tiers à partir des années 1950, la quasi-totalité pour la période contemporaine.

Outre la collecte de créations originales qui ont valeur de chef-d'œuvre dans la mesure où elles anticipent sur leur temps, le musée se fait également le fidèle interprète des phénomènes de mode. Ceux-ci se traduisent par la subite apparition d'un nombre élevé de modèles similaires sur une période restreinte. Ils disparaissent ensuite progressivement et sont éventuellement susceptibles, de réapparaître, légèrement modifiés, quelques années plus tard. L'entrée des accessoires dans les collections retrace ces phéno-mènes de mode : une grande richesse d'objets en plumes dans les années 1920, puis plus aucune occurrence par la suite ; une grande variété de minuscules chapeaux pour les années 1930 et 1940, des turbans dans les années 1940 et plus récemment encore, dans les années 1960, l'apparition de grandes lunettes de soleil en plastique coloré, ou le retour de chaussures à talons compensés. Le costume masculin procède également du même principe : seuls les éléments qui se distinguent par leur côté novateur sont pris en compte. Ce qui explique en partie sa faible représentativité jusqu'aux années 1960.

Dans le même esprit, une étude statistique fondée sur l'analyse du mode de fabrication de ces vêtements sur une longue période est également révélatrice des grandes mutations survenues au XXᵉ siècle. On pourrait, par exemple, s'intéresser au système de fermeture des robes : aux robes des années 1925, qui n'en présentaient aucun et s'enfilaient par la tête, s'opposent les fermetures par agrafes et pressions des modèles des années 1930. Durant cette décennie, les premières fermetures à glissière appa-raissent – et parmi elles la célèbre fermeture Éclair –, notamment sur les modèles de Schiaparelli. Elles verront leur emploi se généraliser à partir des années 1950. Quelques années plus tard, le Velcro suscite un certain engouement, tandis que le Lycra rend obsolète tout système de fermeture… Il s'agit là de modestes indices techniques mais, conjugués à l'étude des matériaux et à celles des sources iconographiques, ils contribuent à une meilleure connaissance de l'histoire du vêtement.

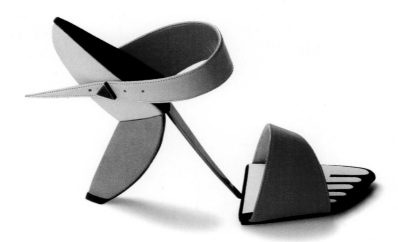

147. *Chaussure « Charles Jourdan, A. Perugia » inspirée de Picasso, 1950*, musée Charles Jourdan n°186.

TABLE DES ILLUSTRATIONS

BIBLIOGRAPHIE

ALEMBERT, Jean Le Rond d', et DIDEROT Denis, *Encyclopédie ou Dictionnaire raisonné des sciences, des arts et des métiers*, Paris, 1751-1772.

ARNOLD Janet, *Patterns of Fashion, English Women's Dresses and their Construction c. 1660-1680*, Londres, Macmillan, 1972.

ARNOLD Janet, *Patterns of Fashion, The Cut and construction of Clothes for Men and Women c. 1560-1620*, Londres, Macmillan, 1972.

BARTHES Roland, *Système de la mode*, Paris, Points-Seuil, 1967.

BÉNAÏM Laurence, *Yves Saint Laurent*, Paris, Grasset, 1993.

BEZON M., *Histoire générale des tissus anciens et modernes*, Lyon, 8 tomes, 1859-1863.

BOUCHER François, *Histoire du costume en Occident, de l'Antiquité à nos jours*, Paris, Flammarion, 1996 (1re édition 1965).

BRÉDIF Josette, *Toiles de Jouy*, Paris, Adam Biro, 1989.

CHARLES-ROUX Edmonde, *Le Temps Chanel*, Paris, Éditions du Chêne/Grasset, 1988.

CHAUMETTE Xavier, *Le Costume tailleur*, Esmod-Édition, 1995.

CHENOUNE Farid, *Des modes et des hommes. Deux siècles d'élégance masculine*, Paris, Flammarion, 1993.

COLAS R., *Bibliographie générale du costume et de la mode*, Paris, Librairie Gaspa, 1991 (réimpression de l'édition de 1933).

COURAL Jean, avec la collaboration de Chantal Gastinel-Coural et de Muriel Müntz de Raïssac, *Paris, Mobilier national, soieries Empire*, Paris, Réunion des musées nationaux, 1980 (inventaire des collections publiques françaises).

CUNNINGTON Philis et WILLET C., *English Women's Clothing in the Nineteenth Century*, New York, Dover Publications, 1990.

CUNNINGTON Philis et WILLET C., *The History of Underclothes*, New York, Dover Publications, 1992.

DELPIERRE Madeleine, *Se vêtir au XVIIIe siècle*, Paris, Adam Biro, 1996.

DEMORNEX Jacqueline, *Madeleine Vionnet*, Paris, Éditions du Regard, 1990.

DESLANDRES Yvonne, *Le Costume, image de l'homme*, Paris, Albin Michel, 1976.

DESLANDRES Yvonne et MÜLLER Florence, *Histoire de la mode au XXe siècle*, Paris, Somogy, 1986.

DESLANDRES Yvonne, *Poiret*, Paris, Éditions du Regard, 1986.

DESLANDRES Yvonne, *Mode des années 40*, Paris, Seuil/Éditions du Regard, 1992.

Dictionnaire de la mode au XXe siècle (sous la direction de Bruno Remaury), Paris, Éditions du Regard, 1994.

DIOR Christian, *Christian Dior et moi*, Paris, Bibliothèque Amiot Dumont, 1956.

GARSAULT François A. de, *Art du tailleur*, Paris, Imprimerie de L.-F. Delatour, 1769.

GAUDRIAULT Raymond, *La Gravure de mode féminine en France*, Paris, Les Éditions de l'Amateur, 1983.

GAUDRIAULT Raymond, *Répertoire de la gravure de mode des origines à 1815*, Paris, Promodis, 1988.

GRUMBACH Didier, *Histoires de la mode*, Paris, Seuil, 1993.

GUILLAUME Valérie, *Jacques Fath*, Paris, Adam Biro/Paris-Musées, 1993.

HARRIS Jennifer, *5 000 ans de textiles*, Londres, British Museum, 1994.

JOUBERT DE L'HIBERDERIE Antoine-Nicolas, *Le Dessinateur pour les fabriques d'étoffes d'or, d'argent et de soie*, Paris, S. Jorry, 1765.

JOUVE Marie-Andrée et DEMORNEX Jacqueline, *Balenciaga*, Éditions du Regard, Paris, 1988.

KAMITSIS Lydia, *Paco Rabanne. Les Sens de la recherche*, Paris, Michel Lafon, 1996.

KRAATZ Anne, *Dentelles*, Paris, Adam Biro, 1995.

KYBALOVA Ludmila, Herbenova, Olga et Lamarova, Milena, *Encyclopédie illustrée de la mode*, Paris, Gründ, 1970.

LANGLADE Émile, *La Marchande de modes de Marie-Antoinette, Rose Bertin*, Paris, Albin Michel, 1911.

LELOIR Maurice, *Dictionnaire du costume et de ses accessoires, des armes et des étoffes, des origines à nos jours*, Paris, Gründ, 1992 (1re édition 1951).

LÉVI-STRAUSS Monique, *Cachemires*, Paris, Adam Biro, 1987.

MAIGRON Louis, *Le Romantisme et la mode*, Paris, Librairie ancienne Honoré Champion, 1911.

MARLY Diana de, *Louis XIV et Versailles*, New York, Holmes & Meier, 1987 (Costume & Civilization).

MARREY Bernard, *Les Grands Magasins, des origines à 1939*, Paris, Picard, 1979.

MARTIN Richard, *Fashion and Surrealism*, New York, Rizzoli, 1987.

NOUVION Pierre de, et LIEZE Émile, *Mademoiselle Bertin*, Paris, Henri Leclerc, 1911.

PACKER William, *Fashion Drawing in Vogue*, New York, Coward-McCann, 1983.

PELLEGRIN Nicole, *Les Vêtements de la liberté. Abécédaire des pratiques vestimentaires en France de 1780 à 1800*, Aix-en-Provence, Alinéa, 1989.

PERROT Philippe, *Les Dessus et les dessous de la bourgeoisie : une histoire du vêtement au XIXe siècle*, Paris, Fayard, 1981.

PIPONNIER Françoise, *Se vêtir au Moyen Âge*, Paris, Adam Biro, 1995.

POIRET Paul, *En habillant l'époque*, Paris, Grasset, 1974 (1re édition 1930).

PREMEL Odile, *Archéologie des bas, du XVIII⁰ au XX⁰ siècle*,
Mémoire de maîtrise sous la direction de Philippe Bruneau,
Université de Paris IV, octobre 1994, 254 p.

PROVOYEUR Pierre, *Roger Vivier*, Paris, Éditions du Regard, 1991.

REISET comte de, *Modes et usages au temps de Marie-Antoinette, livre-journal de Madame Eloffe, marchande de modes ordinaire de la reine et des dames de sa cour (1787-1793)*, Paris, Firmin-Didot, 1885.

ROCHE Daniel, *La Culture des apparences, une histoire du vêtement (XVII⁰-XVIII⁰ siècle)*, Paris, Fayard, 1989.

ROSELLE DU Bruno, *La Mode*, Paris, Imprimerie nationale, 1980.

ROTHSTEIN Natalie, *Silk Designs of the Eighteenth Century*,
Londres, Victoria and Albert Museum, 1990.

SAINT-AUBIN Charles-Germain de, *Art du brodeur*,
Paris, Imprimerie de L.-F. Delatour, 1770.

SALVY Gérard-Julien, *Mode des années 30*,
Paris, Seuil/Éditions du Regard, 1991.

SAVARY DES BRUSLONS Jacques, *Dictionnaire universel de commerce*,
Copenhague, les frères Cl. et Ant. Philibert, édition posthume
augmentée, 1759-1766, 5 vol. [Version anglaise, Londres, 1751-1755 :
The Universal Dictionary of Trade and Commerce.]

SÉGUY Philippe, *Histoire des modes sous l'Empire*, Paris, Tallandier, 1988.

STAFFE baronne, *Règles du savoir-vivre dans la société moderne*,
Paris, Victor-Havard, 24⁰ édition, 1891.

THORNTON Peter, *Baroque and Rococo Silks*,
Londres, Faber and Faber, 1965.

VEILLON Dominique, *La Mode sous l'occupation*, Paris, Payot, 1990.

Le Vêtement. Histoire, archéologie et symbolique vestimentaires au Moyen Âge, Paris, Le Léopard d'or, 1989 (Cahiers du Léopard d'or, n⁰ 1).

VISEUX Micheline, *Le Coton, l'impression*,
Thonon-les-Bains, L'Albaron, 1991.

WAUGH Nora, *The Cut of Women's Clothes 1600-1930*,
Londres, Faber and Faber, 1968.

WAUGH Norah, *Corsets and Crinolines*,
New York, Routledge/Theatre Arts Books, 1991.

WHITE Palmer, *Elsa Schiaparelli : Empress of Fashion*,
Londres, Aurum Press Limited, 1986.

CATALOGUES D'EXPOSITION

Poufs et tournures : costumes français de femmes et d'enfants, 1869-1889,
musée du Costume de la Ville de Paris, Paris, novembre 1959-février 1960.

Modes romantiques : costumes français, 1820-1845, musée du Costume
de la Ville de Paris, Paris, novembre 1960-février 1961.

Modes de la Belle Époque, musée du Costume de la Ville de Paris,
Paris, novembre 1961-mars 1962.

Secrets d'élégance, 1750-1950, musée de la Mode et du Costume,
palais Galliéra, Paris, décembre 1978-avril 1979.

Modes enfantines, 1750-1950, musée de la Mode et du Costume,
palais Galliéra, Paris, juin-novembre 1979.

Mariano Fortuny, musée historique des Tissus,
Lyon, 19 avril 1980-13 juillet 1980.

La Mode au parc Monceau, musée Nissim de Camondo,
Paris, mai-septembre 1981.

La Mode du châle cachemire en France, musée de la Mode
et du Costume, palais Galliéra, Paris, 19 mai-31 octobre 1982.

Indispensables accessoires, XVI⁰-XX⁰ siècle, musée de la Mode
et du Costume, palais Galliéra, Paris, 8 décembre 1983-23 avril 1984.

Hommage à Elsa Schiaparelli, musée de la Mode et du Costume,
Pavillon des arts, Paris, 21 juin-30 août 1984.

L'Éventail, miroir de la Belle Époque, musée de la Mode et du Costume,
palais Galliéra, Paris, 24 mai-27 octobre 1985.

Moments de mode, à travers les collections du musée des Arts de la mode,
musée des Arts de la mode, Paris, éd. Herscher, 1986.

Yves Saint Laurent par Yves Saint Laurent
(catalogue de l'exposition « Yves Saint Laurent, 28 années de création »,
musée des Arts de la mode et du textile, palais du Louvre,
Paris, 30 mai-26 octobre 1986), éd. musée des Arts de la mode
et du textile/Herscher, 1986.

Hommage à Christian Dior 1947-1957, musée des Arts de la mode,
palais du Louvre, Paris, 19 mars-4 octobre 1987.

Modes et Révolutions : 1780-1804, Paris, musée de la Mode
et du Costume, palais Galliéra, 8 février-7 mai 1989.

Les Accessoires du temps : ombrelles et parapluies, musée de la Mode
et du Costume, palais Galliéra, Paris, 24 octobre 1989-14 janvier 1990,
éd. Paris-Musées, 1989.

The Opulent Era : Fashions of Worth, Doucet and Pingat, New York,
The Brooklyn Museum, 1ᵉʳ décembre 1989-26 février 1990,
éd. Thames and Hudson, 1989.

Soieries de Lyon. Commandes royales au XVIII⁰ siècle (1730-1800),
Lyon, musée historique des Tissus, décembre 1988-mars 1989.

Chanel, Ouverture pour la mode à Marseille, musée de la Mode,
Marseille 26 février-16 avril 1989, éd. Michel Aveline.

Paquin, Une rétrospective de 60 ans de haute couture,
musée historique des Tissus, Lyon, décembre 1989-mars 1990.

Robes du soir, 1850-1990, musée de la Mode et du Costume,
palais Galliéra, Paris, 27 juin-28 octobre 1990.

Femmes fin de siècle, 1885-1895, musée de la Mode et du Costume,
palais Galliéra, Paris, éd. Paris-Musées, 1990.

Lyon en 1889 : les soyeux à l'Exposition universelle de Paris,
musée historique des Tissus, Lyon, décembre 1990-mars 1991,
éd. Les Dossiers du musée des Tissus, n° 5, 1990.

Pierre Cardin, Past, Present, Future, Victoria and Albert Museum,
Londres, 10 octobre 1990-6 janvier 1991.

Au Paradis des dames : nouveautés, modes et confection, 1810-1870,
musée de la Mode et du Costume, palais Galliéra, Paris, 1992,
éd. Paris-Musées, 1992.

Paco Rabanne, musée de la Mode, Marseille, 9 juin-17 septembre 1995.

Madeleine Vionnet, les années d'innovation : 1919-1939,
musée historique des Tissus, Lyon, 26 novembre 1994-26 mars 1995.

Japonisme et mode, musée de la Mode et du Costume, palais Galliéra,
Paris, 17 avril-4 août 1996, éd. Paris-Musées, 1996.

Publication du département de l'édition
de la Réunion des musées nationaux
et de l'Union centrale des arts décoratifs

Coordination éditoriale
Brigitte Govignon, RMN
Gilles Plaisant, UCAD

Conception graphique & réalisation

Philippe Ducat

Relecture des textes
Marianne Ganeau

Fabrication
Jacques Venelli

Photogravure
Haudressy, Neuilly-Plaisance

Brochage, couture textile
Mame, Tours

Cet ouvrage a été achevé d'imprimer
en janvier 1997, sur les presses de l'imprimerie Mame, Tours

ISBN 2-7118-3475-1 • GK 19 3475